북한종교인 가족의 삶과 신앙의 궤적을 찾아서

그루터기

김병로 · 윤현기 · 이원영 · 천지혁

박영사

그중의 십 분의 일이 아직 남아 있을지라도
이것도 황폐하게 될 것이나
밤나무와 상수리나무가 베임을 당하여도
그 그루터기는 남아 있는 것 같이
거룩한 씨가
이 땅의 그루터기니라 하시더라
(구약성경 이사야 6장 13절)

And though a tenth remains in the land,
it will again be laid waste.
But as the terebinth and oak
leave stumps when they are cut down,
so the holy seed will be the stump in the land
(Isaiah Chapter 6, Verse 13, The Old Testament)

북한의 그루터기 신앙인들은 누구이며
그들은 어떤 과정을 통해 지금까지 믿음을 지켜 왔는지
이 책을 통해 깨달을 수 있었습니다.

그동안 그루터기 신앙인들의 존재를
깊이 생각하지 못했던 저에게
적지 않은 충격과 깊은 여운을 남겨 준 책입니다.

'원코리아'를 꿈꾸며 기도하고 있는 모든 성도들에게
남한과 디아스포라, 그리고 탈북민 공동체를 넘어
이제는 그루터기 지체들과도 하나 되어
복음통일을 준비할 때가 온 줄로 믿습니다.

그들이 남겨 준 아름다운 믿음의 유산이
오늘날 남한교회를 새롭게 자각시키며
진정한 개혁을 일으키는 불씨가 되기를 기대합니다.

특히 포스트 코로나 시대를 열어 가는 이때에
주님의 교회가 붙잡아야 할 본질은 무엇이며
추구해야 할 시대적 사명이 무엇인지
그들의 스토리에서 배워 나갈 수 있기를 소망합니다.

- 할렐루야교회 담임목사
김승욱

환란과 핍박 중에도 순교의 피흘림으로
동토에 뿌리박고 우뚝 선 고목나무들!
그 몸의 보혈로 새 생명의 버섯들을 움트게 하다니!

전자는 믿음의 선대요, 후자는 그루터기 후대다.
이들은 3대에 걸쳐 처형의 위협과 추방,
감시와 차별 등 온각 고초를 겪으면서
가정을 지하교회로 삼고
낭떠러지 '복음의 삶'을 살아 왔다.

이 책의 진수(眞髓)는 분단사상 최초로 공개한
탈북민 그루터기 신자들의 처절한 증언록이다.

읽을수록 주님 앞에 무릎 꿇을 수밖에 없다.
"봉수교회와 칠골교회, 가정교회의 그루터기 신자들은 가짜다.
지하교인은 따로 있다"라며 정죄해 온
남녘교회의 민낯이 부끄럽다.

필자들은 묻고 있다.
"그루터기들을 남기신 하나님의 뜻과 계획은 무엇인가?"라고.
이 물음에 교계지도자들은 뭐라고 답할까!

－통일선교아카데미 초대원장,
기독교통일포럼 공동대표, 前통일부차관
양영식

모든 책에는
물리적인 중량을 뛰어넘는
고유의 무게가 있습니다.

'그루터기'는 몇백 그램에 불과하지만,
그 속에는 천금의 함량을 담고 있습니다.

페이지마다 순교적 부르짖음이 있고,
한국교회를 향한
"깨어 있으라"는 천둥소리가 있습니다.

이 책은
우리의 눈물이 되고
간절한 기도 제목이 될 것입니다.

읽는 내내
세속에 취했던 우리의 마음을 일깨우고,
하나님 앞에서
영혼의 정자세를 취하게 할 것입니다.

북한의 교인들을
이처럼 실제적으로 가슴에 품고
한 자 한 자 써 내려간 책이 어디에 있을까요?

저자의 각고의 애씀에
감사의 마음 한량없습니다.

한국교회의 모든 성도들에게 필독서로 권합니다.

　　　　　　　　　　　　　　　　　　　－사랑의 교회 담임목사
　　　　　　　　　　　　　　　　　　　　오정현

오래전, 하나님께서는
북한의 지하교회 성도들이 끝까지 믿음을 지킬 수 있도록
기도해야 한다는 마음을 주셨습니다.

이 마음은 하나님께서
저뿐만이 아니라 많은 한국교회들에게도
동일하게 주셨을 것입니다.

중보자의 한 사람으로 이 책을 받아 든 순간
하나님께 깊은 감사를 드렸습니다.

이 책은 '보고서'의 형식으로 기록되었지만
그 안에 17년 동안 포기하지 않는 기도 속에서 녹여낸
하나님의 열정과 사랑이 고스란히 담겨 있는
한국교회를 향한 하나님의 편지와 같습니다.

이 책을 통해 우리는
그동안 하나님께서 북한에 남겨 두신 믿음의 자녀들을
어떻게 보호하고 인도하셨는지,
하나님의 일하심과 한국교회가 맞이하게 될 통일을
영적으로 어떻게 준비해야 하는지 깨닫게 됩니다.

하나님께서 친히 택하신 북한의 그루터기 신앙인들을
열방에 예수그리스도의 다시 오실 길을 예비할
복음전파의 최전방 선교센터로 사용하실 것입니다.

북한의 그루터기 성도들의 삶과
감추어졌던 진실을 확인할 수 있는 이 책을 통해
한국교회가 다시 순전한 복음으로 일어서게 되기를 소망합니다.

이름 없이 빛도 없이 폭압과 압제 속에서도
죽음을 뛰어넘어 전수된
북한의 그루터기 신앙인들의 생생한 삶이
온 세계 열방에 주를 믿는 모든 주의 자녀들의 신앙에
큰 영향을 줄 것입니다.

「그루터기 존재양태 보고서」가 믿음을 도전하게 될 것을 기대하며
사랑하는 한국교회와 성도들에게
매우 기쁜 마음으로 적극 추천합니다.

- 한국중앙교회 담임목사,
  백석대 신대원 학장
  임석순

국제 오픈도어선교회에서 발표한
2018년 세계 기독교 박해순위 1위 국가가 북한이다.
성경을 봤다는 이유로
강제수용소에 갔다는 소식도 종종 접하게 된다.
그래서 북한에 있는 봉수교회, 칠골교회는
전시용교회라고 말하는 분들도 있다.

기도하려고 해도
북한교회에 대해 알지 못하는 그리스도인들에게
북한 기독교인 가족의 삶과 신앙의 궤적을 찾아 기록한
좋은 책이 발간되었다.

하나님께서는 거룩한 씨앗을 통하여
북한을 영적으로 반드시 회복시키실 것을
믿어 의심치 않는다.

남북평화통일과 북녘의 복음화를 위해
기도하는 천만 그리스도인들이
이 책을 읽기를 강력 추천한다.

― (사)크로스로드 대표,
쥬빌리통일구국기도회 공동대표 겸 상임위원장
정성진

역사를 모르는 민족은 미래가 없다고 했다.
특히 기독교의 역사는 그만큼 의미가 남다르다.
그런 면에서 북한의 그루터기 형제자매들의 역사 이야기는
과거와 현실을 적나라하게 잘 다루고 있으며
신앙인들에게 많은 도전을 던지고 있다.
모두가 읽고 생각해 보기를 적극적으로 추천한다.

－아세아연합신학대학교 총장
정홍호

이 작은 분량의 책은
저자가 17년의 짧지 않은 세월을 추적하여 온
북한성도들의 행적을 기록하여 전해 주고 있습니다.

늘 궁금해 하며
마음에 일정한 부채감을 가졌던 주제에 대한 증언들을
고개를 끄덕이며 뜨거운 마음으로 읽었습니다.

이 책을 접하는 이마다
북녘의 교회와 성도들을 사랑하시고 보호하시는
하나님의 신묘막측하신 은혜를 함께 경험할 줄 믿습니다.

이 작은 책이
풍요와 물질주의로 약해져 가는 조국 교회에
좋은 경종이 되며,

가장 가까운 이웃인 북녘교회들과 성도들을 향한
관심과 사랑을 회복시켜,

마음을 담아 기도하며,
사랑으로 도울 길을 찾는
귀한 은혜의 도구가 될 줄 믿으므로
모든 기쁨으로 즐거이 추천합니다.

－남서울교회 담임목사

화종부

책을 펴내며

　이렇게 얇은 책을 내는 데 17년이라는 시간이 걸렸다고 생각하니 감회가 남다르다. '그루터기 프로젝트'라는 이름을 걸고 북한 기독교인의 행적을 찾고자 2003년 시작한 연구가 17년 만에 드디어 단행본 형태로 출간되었다. 프로젝트의 목적은 하나였다. 공산정권이 들어선 이후 그 많던 북한의 종교인과 기독교인은 어떻게 되었을까. 그들의 남은 가족은 어디서 어떻게 살고 있으며 신앙은 과연 유지하고 있을까. 이러한 물음과 궁금증이 그루터기 프로젝트를 시작한 계기였다.

　그러나 그 안에는 단순한 호기심 이상의 어떤 무거운 마음이 자리하고 있었다. 그것은 일종의 죄책감 같은 것이었다. 신앙의 형제자매들이 무참하게 처형되고 짓밟히는 동안 가장 가까이에 있어야 할 우리가 그들의 처절한 고통과 아픔의 소리를 듣지 못하고 반세기가 넘도록 돌아볼 생각조차 하지 못했다는 것이 너무나 미안하고 죄스러웠기 때문이다.

　북한연구를 하는 신앙인의 한 사람으로서 그들에 대한 일종의 부채의식 같은 것이 늘 마음에 있다. 평양대부흥운동의 유산을 물려받은 조국교회가 그들이 가장 힘들고 어려울 때 그들의 절규를 외면하고 돌아보지 못했다는 빚진 자의 심정으로 항상 미안하고, 여유만 된다면 남은 그루터기를 찾아봐야 하겠다는 책무감이 마음 한구석에 늘 자리하였다. 그러면서 북한에 남은 이 그루터기가 혹시 한국 기독교를 깨우는 도구가 아닐까 하는 기대를 갖는다. 눈부신 성장과 부흥을 구가한 한국교회가 풍요로움과 물질주의에 매몰되어 생명력을 잃고 있는 이때, 혹독한 시련과 고난을 통과한 북녘의 남은 자들이 한국교회를 각성하게 하는 광야의 외침이 되지 않을까 하는 한 가닥 희망 말이다.

이런 의미를 생각하면 한국 기독교는 북한 그루터기 신앙인 가족들에게 관심을 갖고 그들과 함께 하나님 나라를 세워 나가야 할 책무가 있다. 한국교회가 통일과 북한선교를 시대적 사명으로 생각하며 기도하고 있으나, 이 크고 중차대한 사명을 어디서부터 어떻게 시작해야 할지 고민되는 상황이다. 바로 북녘 그루터기 가족을 찾아보는 일이 그 시작이 될 것이라 확신한다. 신앙인 가족들이 어떻게 믿음을 지켜왔고 또는 버렸으며, 그러한 가정환경에서 그 자녀들이 어떻게 생존해 왔는가를 돌아보는 일부터 시작해야 한다. 주지하다시피 선교는 교회를 세우는 일이며, 교회를 세운다는 것은 건물을 짓는 것이 아니라 예수 그리스도를 구주로 믿는 사람들, 즉 믿음의 사람들을 세우는 것을 의미한다. 따라서 믿음의 가족들이 겪은 고난의 이야기를 듣고 삶을 나누며 격려하는 일이야말로 하나님 나라를 세우는 일이고 통일과 선교의 첩경임을 믿어 의심치 않는다.

하나님은 왜 그토록 오랜 시간 동안 북녘의 신앙인들을 고난 속에 두시는지 그 뜻을 헤아리기 참으로 어렵다. 과거 훌륭했던 신앙의 가족들이 3대를 거치며 완전히 짓밟혀 흔적도 없이 사라진 그 아픔은 어떠할까. 그루터기 가족이 온 몸으로 겪어온 그 아픔과 눈물은 감히 짐작조차하기 어렵다. 그러나 그 상황 속에서도 신앙을 계승한 가족들이 있어서 또 놀란다. 형언할 수 없는 고통과 두려움, 고난 속에서 믿음을 지켜낸 신앙인들을 접할 때마다 가슴이 먹먹해진다. 혹독한 시련을 통과하면서도 세대를 넘어 생명력을 유지하고 있는 북한의 믿음의 후예들에게 뜨거운 격려와 한없는 고마움을 전한다.

이 책을 출간하는 데 참으로 여러 사람들의 도움이 있었다. 북녘 그루터기 가족을 찾는 데 도움을 준 선교통일협의회 상임대표 조요셉 목사님과 포타(FOTA)미션 대표 김영식 목사님, 오픈도어의 김성태 교수님, 모퉁이돌 선교회, 순교자의 소리(VOM), 영락교회 북한선교센터의 동역자들께 심심한 감사를 드린다. 또 과거 두 차례나 북한종교에 관한 연구를 할 수 있도록 기회를 준 미국국제종교자유위원회(USCIRF)의 스콧 플립스(Scott Flipse), 공동연구를 진행한 한동대 원재천 교수께도 고마움을 전한다. 신앙과 학문의 동역자로 격려를 아끼지 않은 아세아연합신학대학의 조기연 교수님, 정종기 교수님께도 깊은 감사의 마음을 전한다.

무엇보다 연구취지를 듣고 선뜻 연구비를 지원해 주신 쥬빌리통일구국기도회 이상숙 고문님께 깊은 감사를 드린다. 평생 우리 민족의 통일과 북한선교를 위해 헌신해 오신 이 권사님의 물심양면의 지원이 없었다면 오늘 이 책은 나오지 못했을 것이다. 이 자리를 빌려 감사와 존경과 사랑의 마음을 듬뿍 담아 드린다.

이 프로젝트를 실질적으로 이끌어오며 가장 많은 고생을 한 아세아연합신학대학의 윤현기 교수님과 면담에 참여하여 수고를 아끼지 않은 이원영 목사, 천지혁 목사에게도 감사의 마음을 전한다. 항상 가까이에서 사역과 기도의 든든한 후원자가 되어 주는 평화나눔재단 동역자들께도 감사를 드린다.

끝으로 여러 어려움에도 불구하고 취지에 공감하여 면담에 응해 준 10명의 그루터기 가족들에게 감사의 마음을 전한다. 그들의 면담진술이 바로 이 책 자체라는 점에서 이들에 대한 감사는 말로 다 표현할 길이 없다. 아무쪼록 이 책이 북한 신앙인 가족의 살아있는 숨소리를 전하는 계기가 될 수 있기를 바라며, 한국기독교가 통일을 시대적 사명으로 깨닫고 북한·통일선교에 온 힘을 쏟는 계기가 되기를 진심으로 기대한다.

2020년 5월
저자를 대표하여
김병로

차례

제1부

북녘 그루터기 생존 역사

제1장

그루터기 신앙인 가족 연구의 의의

이 책은 해방 이후 남북분단으로 북녘 땅에 남은 30만 명의 그리스도인 가족들이 공산주의 압제와 핍박 속에 어떻게 소멸되었고 생존해 왔는가를 추적한 분석서이다. 북녘에 있던 30만 성도들이 어떤 최후를 맞았는지, 남은 가족들은 그 후 어떻게 되었는지 알 수 있는 방법이 흔치 않다. 지금까지는 주로 한국전쟁 기간 중의 월남자들의 증언을 통해 해방 직후 북한교회 상황과 북녘 성도들의 실상을 개략적으로 듣는 것이 전부였다. 때문에 북녘의 그리스도인이 어떻게 되었는지, 남은 가족들이 어떤 삶을 살았는지에 대한 구체적인 자료는 거의 없고, 순교·투옥·추방 등으로 소멸되었거나 남은 자들이 지하로 잠적하였을 것이라는 대략의 추정 정도에 그치고 있는 실정이다.

2020년 4월 현재 북한은 기독교인 숫자를 1만 2천 명으로 밝히고 있는데, 해방 당시 30만 성도가 있었다면 지난 75년 동안 28만 8천 명은 어떻게 되었으며 그 가족들은 어디서 어떻게 살고 있는가? 목회자와 교회지도자들이 처형되고 순교를 당했다고 하면, 1세대가 순교·투옥된 이후 남은 가족은 어떻게 되었는지 의문이 든다. 세대와 세대를 이어오면서 그 신앙인 가족들이 추방지에서 어떻게 살았는지 그 구체적인 삶의 궤적을 추적해 볼 필요가 있다. 지난 20년 동안 탈북자들이 발생하고 그 가운데 신앙인 가족들이 자신들의 이야기를 들려줌으로써 다행히도 몇 가족의 삶의 구체적인 궤적을 파악할 수 있는 길이 열렸다. 과거 북녘의 신앙인들이 주로 추방되었던 북한의 동북지역에서 탈북자들이 많이 발생함으로써 그들로부터 가족과 부모의 신앙 이야기를 들을 수 있게 되었기 때문이다.

돌아보면 북녘의 신앙인들은 냉전대결이 엄혹한 시절 다시는 사회로 복귀할 수 없는 가장 후미진 곳으로 추방되었다. 사회로의 복귀를 꿈에도 생각지 못했던 이들에게 외부세계로 손쉽게 탈출할 수 있는 뒷문이 열렸다는 사실은 단순히 국제정세의 변화로만 설명하기 어렵다. 기나긴 고통 속에서 믿음을 이어온 북녘의 성도들을 긍휼히 여기시는 하나님의 섭리라 아니할 수 없다. 이런 점에서 '그루터기'로 불리는 북녘 신앙인의 남은 가족들이 어디서 어떻게 살아왔는가에 대한 관심을 갖고 이들을 돌아보고 찾아보는 일은 동포요, 형제로서 한국의 그리스도인들에게 주어진 책무라 아니할 수 없다. 이는 북한교회사 연구를 위해서도 필수적인 과제다.

이런 의미에서 이 책은 한국전쟁 이후 북한교회사의 공백을 메우기 위해 과거 북한의 신앙인 가족의 삶을 추적하여 지난 75년 동안 어떻게 믿음의 가정을 이어왔는지 살펴본다. 그루터기 신앙공동체가 어떻게 생존했고, 공인교회와 지하교회에서 어떤 역할을 하고 있는지 살펴볼 것이다. 이를 위해 식량난으로 탈북, 한국에 정착하여 살고 있는 북녘의 그루터기 신앙인 가족 10가정을 심층 면접하여 그들의 삶을 이야기로 풀어내었다. 그들이 살아온 인생 스토리는 북녘 그루터기 신앙공동체의 역사와 생존 양태를 고스란히 보여 줄 것이다.

표 1 | 면접자

	이름	성별	나이	출신지	거주지	탈북시기	입국시기	면접일	면접장소
1	Y○○	여	70대	평양	량강도	1990년대	2000년대	17.8.12.	서울
2	N○○	여	90대	평양	함북	2000년대	2000년대	17.7.17.	서울
3	J○○	여	40대	평양	함북	2000년대	2000년대	17.8. 8.	서울
4	B○○	여	70대	U지역	N/A	2000년대	2000년대	17.6.14.	서울
5	H○○	여	40대	평양	함북	2000년대	2000년대	17.5.25.	서울
6	L○○	여	70대	평양	함북	2000년대	2010년대	17.7.22.	서울
7	K○○	여	40대	평양	평북	2010년대	2010년대	17.6.26.	서울
8	K○○	남	50대	평양	평양	1990년대	1990년대	17.7.27.	서울
9	F○○	여	70대	평양	평양	2000년대	2000년대	17.2.24.	서울
10	L○○	남	50대	평남	평남	2000년대	2000년대	17.4.20.	서울

또한 이 책에 위에 제시한 10명의 가족 외에도 영문 이니셜로 거명되는 수많은 사람들이 등장한다. 이 사람들은 아세아연합신학대학 연구팀이 한동대 연구팀과 함께 과거 두 차례에 걸쳐 미국의 국제종교자유위원회(USCIRF)의 연구프로젝트를 수행하는 과정에서 면담을 했던 탈북민 80명 가운데 일부분이다.[1] 면담자 중 북한에서 그루터기, 즉 과거 기독교 가족이었거나 혹은 지하교회 활동을 하고 있는 사람들의 증언을 참고하였다.

해방 당시 북한에 형성되어 있던 기독교 교세는 3,000교회 30만 성도로 평가된다. 대한예수교장로회총회 북한교회재건위원회의 자료에 의하면 해방 이전에 현재의 황해남도 지역에 513개, 평안북도 지역에 452개, 평안남도에 439개, 황해북도 지역에 348개를 포함하여 총 3,022개

---

1) 2004-2005년과 2006-2007년 두 차례에 걸쳐 수행한 미국국제종교자유위원회 연구결과는 *Thank You, Father Kim Il Sung*(2005)과 *Prison Without Bars*(2008)로 각각 출판되었으며 국문번역본도 간행되었다.

의 교회가 있었던 것으로 분석하고 있다.[2] 초기에는 기독교 세력이 워낙 영향력이 있어서 공산정권도 매우 신중하게 접근하였다. 기독교 인구가 다수를 차지하지는 못했지만 해방 당시 기독교는 조직화된 집단 중에서 영향력 있는 사회세력이었고 지식층의 집결지이기도 했기 때문이다. 해방 직후 일제의 어용조직이 급속도로 해체 혹은 무력화되고 아직 새로운 조직들이 건설되지 못했던 상황에서 종교세력들은 단순한 수치 이상의 사회적 영향력을 행사할 잠재력을 가진 집단이었다.[3] 특히 서북지역에서 성장한 기독교 세력은 북한 사회주의 정권을 위협하는 중요한 종교세력으로 존재하였다.

해방 초기에 북한 공산정권이 기독교를 매우 신중하게 접근한 배경에는 소련군정의 영향도 있었다. 1946년 10월 12일 소련군은 북한으로 진주할 당시 「북조선 주둔 소련 25군사령관 성명서」를 통해 "교회에서 예배하는 일을 허가한다"고 선언했다.[4] 소련의 이러한 종교용인정책을 북한이 함부로 거스를 수는 없었다. 이런 맥락에서 김일성은 1946년 전체 인민에게 언론, 출판, 집회 및 신앙의 자유를 보장하고 전체 공민이 성별, 신앙 및 재산의 유무를 불문하고 정치경제생활에서 동등한 권리를 보장할 것이라고 주장하였다.

그렇다고 북한이 종교의 자유를 허용했다고 말할 수는 없다. 공산주의자들은 원초적으로 종교를 '인민의 아편'으로 규정하며 기독교에 적대적이었다. 맑스(Karl Marx)는 종교가 사람들로 하여금 자신의 비참한

---

2) 김양선, 『한국기독교해방 10년사』(서울: 예수교장로회 종교교육부, 1956), p. 68. 조동진 목사의 경우는 당시의 경험과 기억을 바탕으로 북한지역에 목사 900명, 교회 2,200개, 신도수 325,000명이 있었을 것으로 추정한다. 조동진, "역사 전환기의 전방위 선교로서의 대북활동," (2001한기총통일선교대학), p. 4.

3) 강인철, "북한종교사의 재인식," 김흥수 엮음, 『해방후 북한교회사』(서울: 다산글방, 1992), p. 149.

4) 사와 마사히코, "해방이후 북한지역 기독교", 김흥수 엮음, 『해방후 북한교회사』, p. 20.

상황에 관심을 갖지 못하게 하며 내세의 행복과 보상에 관심을 돌림으로써 불평등과 불의로 점철된 현실세계의 비인간적인 사회질서를 용인하도록 만든다고 보았다. 때문에 종교는 사람들의 비판의식을 마비시키는 '인민의 아편'으로서 사회주의 사회에서 사라져야 할 미신으로 간주되었다. 김일성도 "종교는 반동적이며 비과학적인 세계관입니다. 사람들이 종교를 믿으면 계급의식이 마비되고 혁명하려는 의욕이 없어지게 됩니다. 결국 종교는 아편과 같은 것이라고 말할 수 있습니다"라며 종교를 반동적이며 비과학적인 세계관으로 규정하였다.[5]

실제로도 북한교회는 기독교와 빈번히 충돌하였고 그에 따라 기독교인들에 대한 비판과 탄압이 진행되었다. 그 첫 번째 계기는 1946년 3월 토지개혁이었다. 서북지역의 개신교 신자들의 경우 대다수가 중소 부르주아층으로 계급투쟁의 성격을 띠면서 종교탄압이 전개되었다. 프롤레타리아 계층을 대변하는 사회주의 정권은 부르주아가 다수인 기독교 세력에 대해 탄압의 수위를 높였고 그 결과 기독교 세력은 북한보다는 남한의 체제를 선호하게 되었다. 그러나 이러한 갈등 속에서도 북한정권은 종교자체의 이유를 들어 종교인들을 탄압하기보다는 토지개혁 등 사회주의 경제·사회 체제로의 이행이라는 사상적 문제로 종교를 억압하였다.

반동적인 장로, 목사로서 땅을 안 가졌던 자가 거의 없고 놀고 먹지 않은 자가 없었기 때문에 이들도 우리에게 불평을 품고 있습니다. 특히 미국놈들은 40년 전부터 종교를 통하여 조선 땅에 자기들의 사상적 영향을 퍼뜨리려고 광분하여 왔으며 조선을 침략하기 위한 사회적 지반으로서 반동 장로, 목사들을 길러내고 비호하는 데 힘을 기울였습니다. 이와 관련하여 기독교 신자들 가운데는 미국을 무조건 숭배하는 경향이 있으며 반동적 목사들은 우리

---

5) 과학백과사전종합출판사, 『조선말대사전』(평양: 과학백과사전출판사, 1981), p. 1831.

인민이 똑똑해지면 자기들의 목적을 실현하기가 더욱 곤란해지기 때문에 인민들을 계몽하고 정치적으로 각성시키는 우리 당을 싫어하며 당의 정책을 반대하여 나서고 있습니다.[6]

그러나 교회가 공산정권과 극단적인 대립관계로 발전한 계기는 북한에서 첫 인민위원회 선거가 실시된 1946년 11월 3일이었다. 그것은 11월 3일이 일요일이었기 때문이다. 지금도 북한은 모든 정치선거를 일요일에 진행하는데 당시 기독교인들에게는 일요일에 국가에서 요구하는 어떤 행사에도 참여하지 않을 뿐 아니라 경제적으로 돈을 사용하는 행위도 절대로 하지 않은 엄격한 '성수주일'의 전통이 있었다. 이러한 전통은 일제 식민통치 기간에 신사참배를 거절하며 순교를 불사했던 것과 마찬가지로 주일성수는 신앙의 교리로 이미 굳어져 있었다. 북한교회는 당연히 주일선거에 반대하여 국가적으로 진행하는 첫 정치행사에 참여하지 않았다.

교회가 주일선거를 반대하고 불참한 데 대해 북한당국은 교회가 성수주일을 명분으로 11월 3일 선거거부를 주동했다고 보고 기독교인들에 대한 처벌을 강화했다.[7] 북한당국은 사건 직후 1946년 11월 13일 '미신타파돌격기간'(1946.11.25.―30.)을 설정하고 반종교투쟁의 대중운동을 전개하며 기독교인들에 대한 탄압을 실시했다. 북한은 전국의 기독교인 명단을 각 지역단위에서 교회별로 상세히 작성하였다. 그 한 예로 평북 철산군 내 교회와 교인명단을 보면, 영아로부터 노인에 이르기까지 연령과 교회 내 봉사직책 등을 상세히 기록하고 있음을 볼 수 있다.

이른바 '주일선거' 거부로 타격을 입은 북한당국은 기독교를 분쇄하기 위해 일요일에 학생들을 등교시키고 주민들을 직장에 출근하도록 하는

---

6) 김일성, 『김일성저작선집 1』(평양: 조선로동당출판사, 1967), pp. 249―250.
7) 김일성, 『김일성저작선집 1』(평양: 조선로동당출판사, 1967), pp. 249―250.

'주일소집령'을 내렸다. 기독교인들이 일요일(주일)에 예배를 드린다는 점을 이용하여 일요일에 직장을 나오도록 하거나 학생들을 학교로 소집하도록 함으로써 기독교인들의 신앙활동을 방해하였다. 일요일 소집에 응하지 않은 많은 기독교인들이 직장과 학교에서 물리적 처벌과 심리적 고통을 받았으며, 이러한 탄압으로 특히 어린이들과 학생들이 교회출석을 포기하게 되었다. 평북 피현군과 철산군에 살았던 두 신앙인(탈북민)은 체벌과 창피함을 무릅쓰고 1947년까지 교회를 다녔으나, 그 이후 탄압을 견디지 못해 교회를 못 나갔다고 한다.[8]

북한당국의 이러한 물리적 탄압과 주일소집령 등 반기독교정책으로 많은 기독교인들이 정치적 불이익을 받을 것을 우려하여 교회를 떠났다. 북한 기독교인들은 1946년 3.1절 행사 문제로도 공산정권과 부딪혔으며, 신의주 학생사건, 김일성·강양욱 저격사건(46.3.), 함흥학생사건(46.3.13.), 평북철산군 백량면 조민당 사건(46.9.), 정주 오산학교 학생사건(47.5.23.) 등 노골적인 반체제 운동을 전개하였고, 일부 목회자들은 '기독교사회민주당' 등의 정당활동을 통해 공산정권에 대항했다. 북한당국은 이러한 활동을 주도한 인사들을 체포하고 처형하는 등 박해를 가하였다. 1949년 청진에서 미사를 드리던 신부를 잡아다 총살하는 광경을 지켜본 신자들은 계속 신앙생활을 할 경우 혹시 피해를 당할 것이 두려워 신자들끼리 서로 보기를 꺼려했다고 한다.[9] 이러한 직접적인 물리적 박해의 두려움 때문에 신앙생활을 포기하는 사람들이 생겨났다.

또한 조선기독교도연맹의 활동에 대한 불신 때문에 교회를 그만둔 신앙인들도 있었다. 조선기독교도연맹은 1946년에서 1947년에 걸쳐 북한의 교회지도자들을 개인적으로 설득하거나 회유하여 연맹에 가입시켰다.

---

8) 북한이탈주민 LSA, CYJ 증언.
9) 천주교인이었던 북한이탈주민 JHS 증언. 함께 신앙생활을 하다 헤어지게 된 한 개인병원의사를 70년대에 우연히 만났는데, 어느 지역 산부인과 과장으로 근무하고 있었다고 한다.

강양욱, 홍기주, 김응순, 박상순, 곽희정, 김익두 목사 등 여러 성직자들이 연맹에 가입했으며, 1949년에 이르러 일반신도까지 각지의 면, 군, 도 연맹조직을 만들고 기독교도연맹 총회를 열기도 했다. 이 연맹에 가입하지 않은 교직자의 경우 노회회원 자격을 박탈하고 교회활동을 할 수 없도록 만들었다. 많은 기독교인들은 공산정권에 협력적이었던 조선기독교도연맹을 불신하였기 때문에 연맹가입을 거부하면서 신앙활동을 포기하였다.

북한당국의 이러한 탄압정책으로 기독교인은 해방 당시 30만에서 전쟁직전 20만 명으로 줄었다. 북한의 공식자료는 1949년 북한지역에 대략 20만 명의 개신교인과 5만 3천여 명의 천주교인이 존재한 것으로 밝히고 있다. 이 자료는 아마도 북한당국이 과거 기독교 인구에 대해 공식적으로 발표한 유일한 자료일 것이다. 북한당국의 평가에 의하면 1950년 이전 북한 기독교는 약 2,000교회에 신도 20만 명으로, 목사 410명, 전도사 498명, 장로 2,142명 등이었다고 한다.[10] 북한은 「조선중앙년감」 1950년판에 당시 북한의 기독교 현황에 대해 다음과 같이 기록하고 있다.

北半部에 現存하는 主要宗敎는 基督敎 佛敎 天道敎等이다.
△ 基督敎는 舊敎 新敎가 있는데 舊敎에는 天主敎(카톨릭)와 聖公會(英國正敎) 두 가지 宗派가 있으며 新敎(更正敎)에는 長老敎 監理敎 聖潔敎 安息敎 救世軍等의 各宗派가 있고 長老敎에는 解放後 다시 所謂 再建派 革新復舊派라고 하는 두 派가 派生하였다. 현재 北半部 基督敎 各派中에서 第一 큰 勢力을 가지고 있는 것은 長老敎이며 救世軍은 極少數이다.
그리고 北半部에 基督敎 敎會數는 約 2,000을 算하며 敎徒는 新敎만 約 20萬名에 達한다. 新敎에서 現在 長老數는 2,142名이며

---

10) 조선로동당출판사, 『조선중앙년감 1950』(평양: 조선로동당출판사, 1950), p. 365.

牧師數는 410名, 傳道師數는 498名이다. 北朝鮮基督敎徒들은 自己들의 團體로서 北朝鮮基督敎徒聯盟을 가지고 있다.

신학교육기관도 평양신학교와 성화신학교를 통합하여 그리스도신학교(기독교신학교)로 재편하고, 1,200명에 달했던 신학생을 120명 선으로 축소했다. 그러나 한국전쟁이 발생하기 전까지 교회에서 예배를 드리는 자유가 완전히 차단되지는 않았다.

제2장

북녘 그루터기 신앙공동체의
역사와 생존 양태

1. 북한교회의 박해와 수난
: 처형·투옥, 추방·사면, 협력·은둔

한국전쟁은 여러 면에서 북한교회에 커다란 변화를 몰고 왔다. 물리적 피해의 측면에서 북한에 심각한 피해를 입혔다. 원산, 평양, 함흥, 청진 등 북한의 주요도시가 미군의 집중적인 공중폭격으로 초토화되었으며 물적, 인적 파괴가 매우 심각하였다.[11] 전쟁으로 북한의 광업생산력은 80%가 감소했고 공업생산력의 60%, 농업생산력의 78%가 감소했다. 90만 6500에이커의 농지가 훼손되었으며 60만 채의 가옥과 5,000개의 학교, 1,000개의 병원이 파괴되었다. 재산피해액이 4천억 원에 달하는 막대한 손실을 입었다. 김일성도 전쟁으로 북한의 경제가 완전히 파괴되어 전체적으로 일시에 복구한다는 것은 "도저히 불가능한 일"이라고 발언하며 3단계로 복구 건설을 추진해야 한다고 발언하기도 하였다.[12] 남

---

11) 김태우, 『폭격: 미공군의 공중폭격 기록으로 읽는 한국전쟁』(서울: 창비, 2013).

한에서 6.25전쟁으로, 북한에서는 조국해방전쟁으로 불리는 한국전쟁은 북한에 이처럼 헤아릴 수 없는 피해를 초래했다.

더 심각한 문제는 인명의 피해였다. 남한은 전쟁으로 82만－85만 명이 사망한 데 비하여 북한은 120만－130만 명의 인명 손실을 입은 것으로 판단된다.[13] 당시 북한인구는 남한의 2천만의 절반 정도인 960만 명에 불과한 상태에서 남한보다 더 많은 인명 피해를 입음으로써 가족구조가 해체되는 등 심각한 사회적 혼란을 겪었다. 이는 당시 북한인구의 13－18%에 해당하는 엄청난 규모이다. 북한은 그동안 한국전쟁으로 입은 인적 손실 규모에 대해 밝히기를 주저해 왔으나 흥미롭게도 2014년 9월 북한이 유엔으로부터 인권압박을 받고 있는 가운데 자체 인권보고서를 제출한 내용에 따르면 북한은 한국전쟁으로 123만 명이 사망한 것으로 보고하였다.[14] 북한의 이러한 주장이 어떤 의도에서 제기되고 있는지 정확히 파악할 수 없지만 한국전쟁의 인적 손실 규모를 이전보다 적은 수치로 밝혔다는 점에서 객관성이 있을 것으로 생각되며 이런 점에서 이 보고서에 주의를 기울여 볼 만하다.

전쟁으로 극심한 물적, 인적 피해를 당한 결과 전쟁 이후 북한에서 사회 전반적으로 미국에 대한 적개심이 높아졌고 미국과 연관되는 기독교에 대해 매우 부정적인 인식을 갖게 되었다.[15] 미군의 무차별적 공습

---

12) 김일성, "모든 것을 전후 인민경제 복구발전을 위하여," (조선로동당 중앙위원회 제6차 전원회의에서 한 보고, 1953.8.5.), 『김일성저작집 8』(평양: 조선로동당출판사, 1980), p. 18.

13) 김병로, "한국전쟁의 인적 손실과 북한 계급정책의 변화,"「통일정책연구」제9권 1호, 2000, pp. 219－242.

14) "3년간의 전쟁기간 공화국북반부에서는 123만여 명의 평화적 주민들이 미제야수들에 의해 무참히 살해되었다"고 밝혔다. 조선인권협회,『조선인권협회 보고서』(평양: 조선인권협회, 2014), p. 76.

15) 한국전쟁으로 인한 북한의 인적 손실에 관해서는 북한당국은 지금까지 전쟁 중의 인명피해 규모에 대해 정확히 밝히지 않고 있지만, 남한의 노근리사건 (1999년 9월)으로 피해보상 논의가 제기되자 한국전쟁 시기 북한지역에서 190만 명의 주민이 학살당했다고 주장하였다.「평양방송」, 1999년 12월 21일;

은 그렇지 않아도 기독교를 미국의 종교라고 생각하는 북한주민들에게 기독교가 미제의 앞잡이라는 좋지 않은 인상을 남겼고 결과적으로 북한 정부에게 탄압의 빌미를 제공하였다.

뿐만 아니라, 전쟁 기간 중에 행해진 기독교인들의 반공활동으로 인해 기독교인들에 대한 적대의식이 커졌다. 목사들이 '선무대원'으로 파견되어 북한지역에서 군종활동을 펴기도 했고,[16] 연합군이 일시적으로 북진했을 때 기독교인과 천도교인을 위주로 많은 반공적 종교인이 연합군을 환영하거나 치안대, 유격대 등을 만들어 약탈과 학살을 감행했다.[17] 1950년 10월 25일 미국 북장로교 선교사 아담스(Edward Adams), 힐(Harry Hill), 캠벨(Archibald Campbell)과 한국 목사 윤하영, 한경직, 김양선 등이 위문사절단으로 평양을 방문했다. 이들은 평양 서문밖교회 등에서 대규모 집회를 하며 성경을 나누어 주었다. 같은 해 11월에는 캐나다 장로교의 선교지역이었던 함흥지역 기독교인들도 미군 입성을 환영했고 미군군목과 함께 추수감사절 예배를 드렸다.[18]

1) 처형과 투옥

1951년 1.4후퇴 이후 북한정부는 연합군에 협조하거나 반공단체에 가담한 기독교인들에 대해 처형하거나 투옥시켰다. 연합군 퇴각 후인

「연합뉴스」(북한소식), 1999년 12월 23일.

16) 김흥수, 『한국전쟁과 기복신앙 확산연구』(서울: 한국기독교역사연구소, 1999), p. 61; 김흥수·류대영 공저, 『북한종교의 새로운 이해』(서울: 다산글방, 2002), p. 86에서 재인용.

17) 박일석, 『종교와 사회』(서울: 삼학사, 1980), pp. 78-79; 홍동근, 『미완의 귀향일기』 상권(서울: 한울, 1980) p. 230. 이에 관해서는 황해도 선천에서 있었던 양민학살 사건을 다룬 황석영의 소설 『손님』(서울: 창작과 비평사, 2001)이 극적으로 형상화시켰다. 김흥수·류대영 공저, 『북한종교의 새로운 이해』, p. 86에서 재인용.

18) William Scott, "Canadians in Korea: Brief Historical Sketch of Canadian Mission Work in Korea"(1975), p. 185; 김흥수·류대영 공저, 『북한종교의 새로운 이해』, p. 86에서 재인용.

1951년 초 북한정부는 "반공단체 가담 처벌에 관한 결정"과 "군중심판에 관한 규정" 등의 조치를 통해 전쟁 시기에 반공단체 가담자나 연합군에 협조한 사람을 색출하였다. 이때 반동분자로 분류된 사람들 가운데 대부분이 종교인이었다.[19] 이들 가운데 소수는 인민재판에 의해 공개처형, 투옥, 수용소에 수용되었다. 상당수 종교인들이 연합군과 더불어 대부분 이미 월남한 후여서 주동적인 기독교인들은 처형을 피할 수 있었다.[20] 그러나 남은 종교지도자들 가운데 북한군에 체포되어 살해되었는가 하면, 북한정권에 협조했던 많은 종교지도자들이 연합군과 반공주의자들에 의해 살해되는 비극도 발생했다.

또한 한국전쟁 중에 폭격으로 희생된 신자와 성직자들도 많았다. 조동진 목사에 의하면 해방 당시 3,000개 정도 되었던 북한의 교회건물은 한국전쟁 기간 중에 500여 개 이상이 파괴되었고, 한국전쟁 이후 남아 있던 교회건물은 현재 용도가 변경되어 다른 목적으로 사용되고 있다고 한다. 이처럼 교회가 폭격으로 파괴되는 과정에서 다수의 성직자들과 신자들이 교회를 지키려다 목숨을 잃었다. 북한당국은 북한 기독교인들이 신앙을 버리게 된 이유에 대해 자신들의 정치적 탄압 때문이 아니라 미군의 폭격으로 인한 엄청난 피해 때문이라고 주장한다.[21] 이를 검증하려면 전쟁 중 공중폭격과 같은 물리적 파괴로 인해 사망한 기독교인의 규모가 어느 정도인가에 대해 정확한 정보를 갖고 있어야 가능할 것이다. 이 부분에 관해서는 앞으로 연구해야 할 과제다. 한 예로, 1950년 11월 8일(일요일), 신의주 제1, 2교회에서 예배를 드리던 수백 명의 교

19) 신평길, "로동당의 반종교정책 전개과정,"「북한」(1995.7.), p. 56; 김흥수·류대영 공저, 『북한종교의 새로운 이해』, p. 87에서 재인용.
20) Rhodes and Campbell, pp. 43–44; 김흥수·류대영 공저, 『북한종교의 새로운 이해』, p. 87에서 재인용.
21) 김일성, "통일전선사업을 개선강화할 데 대하여"(조선로동당 중앙위원회 제7차 전원회의에서 한 결론, 1953.12.18.), 『김일성저작집 8』(평양: 조선로동당출판사, 1980), pp. 202–204.

인들이 미군의 폭격으로 몰사한 사례를 들 수 있다.[22]

한국전쟁을 거치면서 기독교인 수는 어느 정도 감소되었는가에 대해 정확히 판단할 자료가 충분치 않다. 전쟁 전의 410명 목사, 498명 전도사, 2,142명의 장로는 어떻게 되었는가. 목사와 전도사 등 성직자들이 일차적인 처형과 탄압의 대상이 되었을 것은 분명하다. 우선 한국전쟁 이후 순교 또는 행방불명된 북한의 교직자 수는 장로교 260명, 감리교 50명이며, 성결교와 그 외의 교파를 합하면 350명에 달한다고 전해진다.[23] 그러나 불행히도 이 가운데 약 100명의 명단만 파악될 뿐 나머지는 확인할 방법이 없다.[24] 410명 가운데 350명을 잃었다면 목사는 60명밖에 남지 않았다는 얘기가 된다. 전쟁 후에 목회자가 약 20여 명 밖에 남지 않았다는 평가도 있다.[25] 전도사와 장로, 권사의 직분자들의 행적도 더 면밀히 파악되어야 한다. 이러한 정황들을 종합해 보면 전쟁으로 인해 기독교 인구가 현저히 감소했음을 짐작할 수 있다.

한국전쟁과 전후 종교탄압을 받으면서 북한교회는 극도로 침체되었다. 교회 건물에 대한 물리적 피해나 국민들 사이에서의 반기독교적 정서 심화도 큰 문제였지만, 전쟁 중 사망자와 월남자, 처형 등으로 인해 초래된 기독교 인구의 절대감소는 가장 심각한 문제였다. 이와 관련한

---

22) 박일석, 『종교와 사회』, p. 77; 강인철, "현대 북한종교사의 재인식," 김흥수 엮음, 『해방후 북한교회사』, p. 179에서 재인용.

23) 김양선, 『한국기독교해방 10년사』(서울: 예수교장로회 종교교육부, 1956), pp. 68 - 70.

24) 사와 마사히코, "해방이후 북한지역 기독교," 김흥수 엮음, 『해방후 북한교회사』, p. 34.

25) 그 가운데 감리교 이풍운 목사는 북한에 남아서 협동농장에서 모범적으로 일을 하여 칭송을 받았다고 한다. 이영빈 · 김순환, 『통일과 기독교』(서울: 고난함께), pp. 103 - 109; 김흥수 · 류대영 공저, 『북한종교의 새로운 이해』, p. 97에서 재인용. 또 감리교목사 한동규, 장로교목사 이영태, 장로교 전국여전도회연합회 회장을 역임한 이순남 전도사 등이 북한의 공화국 창건 20주년훈장, 국기훈장, 공로메달 등을 수상하기도 했다. 박일석, 『종교와 사회』, pp. 129 - 130.

자료가 부족한 상태에서 한국전쟁 이후의 기독교 인구에 대해 이런 추론이 가능하지 않을까 싶다. 20만 명의 기독교인 가운데 5만 명이 전쟁으로 사망하고 5만 명이 월남하여 남은 기독교인은 10만 명쯤 되지 않았을까. 이 정도의 기독교인이 지금까지 생존하였다고 가정하면, 인구증가율을 적용하여 현재 북한의 잠재적 기독교 인구를 추정해 볼 수도 있을 것이다.[26] 그러나 이 가운데 전쟁을 겪으면서 '탈교'한 사람들도 있었을 것이고, 전쟁 후에 처형당한 신앙인들도 있었다. 당시 기독교인으로 생존했던 신앙인들이 어느 정도 규모인지 정확히 파악할 수 없지만, 5만에서 10만 명 정도 되었을 것으로 추측된다. 캐나다교회협의회는 1950년 북한의 개신교인 규모를 12만 명, 1,400교회로 파악[27]한 것을 보면 이러한 추정이 전혀 근거 없는 것은 아님을 알 수 있다.

2) 추방 · 사면

전쟁 이후 기독교인들에 대한 조직적인 탄압이 강도 높게 이루어졌다. 1953년 12월 18일 조선로동당 중앙위원회 제2기 7차 전원회의에서 김일성은 기독교인들과 특히 기독청년들에 대한 사상교육을 지시하였다.[28] 1955년 4월, "계급교양을 강화할 데 대하여," 1958년 3월 7일 "당 사업을 개선할 데 대하여"를 통해 김일성은 간부사업에 대한 요해를 지시했으며, 1958년 5월 30일 당중앙위 상무위원회는 "반혁명분자와의 투쟁을 전군중적으로 전개할 데 대하여"를 결정하고 기독교인들에 대한 대대적인 처형과 추방사업을 단행했다. 1958년 8월부터는 '인텔리개조

---

26) 조동진, "역사적 전환기의 전방위 선교로서의 대북활동," 「2001 한기총 통일선교대학 강의자료」, p. 6.
27) 캐나다교회협의회, "조선민주주의인민공화국 방문보고," 「신학사상」(1989년 여름), p. 383; 강인철, "현대 북한종교사의 재인식," 김흥수 엮음, 『해방후 북한교회사』, p. 173 재인용.
28) 김일성, "통일전선사업을 개선강화할 데 대하여," 『김일성저작집 8』(평양: 조선로동당출판사, 1980), pp. 202−206.

운동'이 전개되었으며, 1958년 11월 20일 "공산주의교양에 대하여"와 1959년 2월 25일, "조선로동당 중앙위원회 1959년 2월 전원회의에서 한 결론"으로 기독교인에 대한 탄압을 지속했다.

이 시기에 신앙인들은 지하로 들어가 비공식적 신앙활동을 지속하며 조직적인 반정부투쟁을 전개하였다. 1957년 평북 용암포에서 기독교인 이만화를 중심으로 한 선거거부 투쟁이 발생한 사건이나, 황해도 재령에서 송 목사가 200여 개소의 점조직 형태로 5천 명의 신자들을 지도하다가 협동화 시책 반대 이유로 적발되어 처형된 사건들이 이를 증명한다.[29] 1958년 5월 30일 당중앙위 상무위원회는 "반혁명분자와의 투쟁을 전군중적으로 전개할 데 대하여"라는 결정을 발표하고, 1958.12.−1960.12. 동안 중앙당집중지도를 실시하여 "종교인과 그 가족"을 분류했다. 이때 파악된 종교인과 그 가족의 숫자는 약 10만 가구 45만 명으로 집계되었다.[30] 이를 토대로 북한당국은 1958년부터 1960년대 초까지 대대적인 종교인 탄압을 실시했다.

1958년을 기점으로 그루터기 신앙인들은 체포되어 수감되거나 시골 오지로 추방되는 경우, 그리고 북한당국의 감시를 피해 개별적으로 신앙을 유지하는 경우 등 여러 형태로 갈라져 나갔다. 북한은 1958년부터 기독교인들에 대한 체포와 조직적인 추방사업을 단행한 것으로 보인다. 북한에 남아 있던 JCH 목사는 1958년에 체포되어 1968년까지 수감되었다가 감옥에서 사망하였다.[31] 어머니가 기독교인이었던 HSY의 가족은 1961년에 평양에서 함북 온성으로 추방되었다.[32]

과거 기독교인이 대부분 평안남북도, 황해도 등 서북지역에 있었으나, 기독교인들에 대한 추방이 함경북도 오지로 이루어지면서 흩어지게

---

29) 신평길, "노동당의 반종교정책 전개과정," p. 6.
30) 이항구, "북한의 종교탄압과 신앙생활,"「현실초점」(1990년 여름), p. 111.
31) 북한이탈주민 KHE의 증언.
32) 북한이탈주민 HSY의 증언.

18 제1부 북녘 그루터기 생존 역사

되었다. 1940년 통계에 의하면 북한지역 개신교 인구의 약 90%, 교회 수의 약 82%, 그리고 교역자 수의 약 83%가 평안남북도와 황해도 지역에 편중되어 있었다.[33] 따라서 분단 초기에는 평안남북도와 황해도에 그루터기 신앙공동체가 많이 있었을 것으로 추정된다. 그러나 추방정책이 단행된 이후 함경남북도로 다수의 기독교인들이 소개된 것으로 파악된다. 과거 기독교인들 가운데 많은 사람들이 여전히 함경도 지역의 통제구역에 거주하고 있다는 증언이 나오고 있음은 이를 증명한다. 귀순자들의 증언에 의하면 1988년 요덕수용소에는 "하나님을 믿으라"고 말하는 70세 정도의 할머니와 아들·딸 등 일가족이 수감되어 있었다고 한다. 또 1990년대 초 회령수용소 내에는 과거 종교인들이 대대로 살아오고 있었는데, 당시 58세가량의 할머니는 천주교인이었다고 한다.

3) 협력·순응 또는 은둔

그루터기 기독교인 가족이 처형·투옥되거나 추방되지 않고 사회에 흡수되어 잠적하는 형태도 있었다. 혹독한 탄압을 두려워하거나 혹은 김일성과의 개인적인 친분 등의 이유로 북한당국에 적극 협력한 가족들도 있었고, 북한당국에 심각하게 드러나지 않은 신앙인들 중에는 주변에서 적극적으로 신고하거나 비판하지 않는 한 잠적하여 기존 사회에 흡수된 형태도 있었다.

적극 협력한 경우는 조선기독교도연맹에 가입하여 활동한 사람들이다. 북한 사회주의 체제에 협력한 기독교인들은 개별적으로 신앙을 유지할 수 있는 '자유'를 허용받았고 가족들에게도 신앙을 전수하기 위해 상당한 노력을 기울였다. 물론 체제에 협력한 모든 기독교인들이 그러지는 않았다. 신앙을 버리고 권력에 더 적극적으로 협력하면서 신앙인들을 오히려 탄압하고 가족들의 신앙에도 무관심한 사람들도 있었다. 어느 쪽을

---

33) 김흥수·류대영 공저, 『북한종교의 새로운 이해』, p. 66.

선택한 사람들이 많았는지 판단할 길은 없다. 단지 우리가 인터뷰한 신앙인 가족에게서는 그러한 두 부류의 현상이 모두 발견되었다.

북한당국에 의해 적발되지 않은 경우에는 사회에 잠적한 경우도 있다. 친인척 방문목적으로 북한을 왕래했던 J 목사의 증언에 의하면, 그 가족은 기독교 가족이었음에도 불구하고 처형·투옥 혹은 추방되지 않고 북한당국에 흡수될 정도의 위상을 가진 신자도 아니어서 북한사회 안에서 평범한 가족으로 살아가고 있었다. 이러한 증언을 통해서 볼 때, 북한당국에 의해 체포되거나 적발되지 않은 경우에는 자신의 신앙적 신분을 감추고 평범하게 생활해 나갈 수 있었다.

이런 맥락에서 그루터기 신앙공동체란 한국전쟁 이후, 특히 1958년 이후 교회에 대한 북한 공산정권의 조직적인 탄압으로 공개적인 교회활동이 허용되지 않은 상황에서 유형교회를 떠나 개별적으로 흩어져 존재하게 된 신앙인들의 집합체라 할 수 있다. 이들은 1958년 이후 공산정권의 처형과 사회적, 정치적 박해 속에서 생명을 유지하고 살아남은 자들로, 가족 내에서 혼자 신앙생활을 하거나 소수의 가족·친지가 모여 신앙의 가족임을 확인하는 대화를 하는 정도로 교제하고 있다. 그러나 이 시기의 교회탄압과 반종교선전의 결과로 인해 그루터기 신앙공동체가 어떤 상황에 처하게 되었는가에 대한 경험자료는 대단히 빈약하여 앞으로 구술 등을 바탕으로 실증자료를 축적해 나가야 할 것이다.

한국전쟁 이후 북녘의 신앙인 가족에 대한 추적연구는 에릭 폴리 (Eric Foley) 목사가 쓴 『믿음의 세대들: 북한지하교인의 후손들』이 유일하다. 에릭 폴리 목사는 과거 기독교 신앙을 가진 그루터기 가족이 3대째 내려오면서 어떻게 신앙을 유지해 왔는가를 구술을 통해 정리하였다. 배씨 가족이라 부르는 이 믿음의 가계는 원래 북한에 있었던 가족은 아니며 중국에서 1961년경에 북한으로 들어가서 살던 가족이다. 중국 조선족들은 전후 복구과정과 이후 1960년대 및 1970년대에 약 30만 명이 북한으로 들어갔다고 전해진다.[34] 전쟁으로 북한도 폐허가 되었지만 연변지방도 살아가기가 무척 힘들었기 때문에 북한으로 들어가면 자녀들 교육이라도 제대로 시킬 수 있지 않을까 하는 희망으로 조선족들이 북한에 들어간 것이다.

배씨 가족도 이 시기에 북한으로 들어간 케이스다. 배씨 가족은 이들의 신앙이력이 문제가 되어 1967년경 외진 산간 마을로 추방당하였다. 리 단위로 추방되었다가 부친이 라디오 고치는 기술이 있어서 다행히 몇 년 후 읍내로 나오게 되었다. 그 덕분에 군복무도 11년을 하였고 대학에도 들어갔다. 다소 무고하게 1년 정도 철창신세를 졌으나 곧 석방되었다. 배씨는 어머니에게서 믿음 안에서 살아야 한다는 애기를 자주 들었고, 약했던 믿음이 감옥에 수감된 환경 속에서 결정적으로 하나님의 역사를 깨닫고 신앙을 갖게 되었다. 믿음의 가정이 어떻게 추방되었고 다시 사회로 방면되어 나와 살다가 북한 안에서 믿음을 갖게 되었는가를 생생하게 전해 준다. 이 점에서 에릭 폴리 목사의 책은 북녘 그루터기와 북한교회 역사를 이해하는 데 매우 귀중한 자료다.

2. 그루터기 신앙공동체의 초기 가정예배소 활동

북한당국은 1960년대에 조직적인 반종교정책을 전개했다. 1959년에 출판된 반종교교육 서적인 『우리는 왜 종교를 반대하는가』(정하철), 『인민의 아편』(김희일), 『종교는 인민의 아편이다』(로재선), 『미제는 남조선에서 종교를 침략의 도구로 이용하고 있다』(로재선), 『종교도덕의 반동성』(백원규) 등이 대표적인 반종교교육 교재로 사용되었다. 1962년 8월 당 4기 4차 전원회의 결정, "공산주의 교양을 더욱 강화할 데 대하여", 1964년 2월 당 4기 8차 전원회의 결정, "각계각층 군중과의 사업을

---

34) 리○○ 인터뷰, 2004년 4월 1일(중국 연길).

더욱 강화할 데 대하여", 1965년 6월 당 정치국 결정, "전국적으로 전반적으로 전 주민을 대상으로 한 주민등록사업을 실시할 데 대하여", 1967년 5월 당 전원회의 결정, "당의 유일사상체계 확립을 위한 교양사업을 더욱 강화할 데 대하여" 등 당정책 시행과정을 계기로 지하에서 활동하던 일부 교인들까지 철저하게 적발하여 검거, 투옥, 처형했다.35) 이러한 반종교정책 교양사업에 '최학신의 일가'(1966)와 성황당(1969) 등의 영화가 집중적으로 활용되었다.

그러나 이러한 탄압정책으로 종교인 가족과 연고자들까지 피해를 주고 사회의 공포분위기가 조성됨으로써 불평불만이 고조되었다. 북한당국은 이러한 불만을 해결하기 위해 이른바 '풀어주는 사업'을 광범위하게 실시했다.36) 전 노동당 간부인 신평길에 의하면 1968년 4월 당 정치국에서 "각계각층 군중과의 사업을 강화하여 당의 군중노선을 정확히 집행할 데 대하여"라는 결정을 채택하고, 지난날 억울하게 반동분자, 불순분자로 낙인찍혔거나 월남자 가족 및 연고자들 가운데 현재 일을 잘하고 있는 사람들을 대상으로 과거의 허물을 말소시켜 주는 사업을 전개한 것이다. 이때 60대 이상 '노인층 골수신자'로서 신앙을 포기하지 않고 지하에서 종교행위를 계속하고 있던 자들에게 공식적으로 가정예배를 허용하는 조치를 취했다고 한다.

가정예배소는 선천, 평남, 황해도 신천 등 전쟁 전 기독교가 융성했던 지역에 200여 개가 허용되었다. 대표적인 것이 평남 남포의 안신호, 만경대 칠골의 강선녀(김일성 외척), 강원도 원산의 도당위원장 김원봉의 모친 김씨, 함남 영흥의 장관급 간부 문만옥의 모친 황씨 중심의 모임 등이었다.37) 특히 저명인사, 고위 간부급 인사 등의 부모를 위시한 가족

---

35) 신평길, "노동당의 반종교정책 전개과정," p. 6.
36) 신평길, "노동당의 반종교정책 전개과정," p. 58; 김흥수·류대영 공저, 『북한 종교의 새로운 이해』, p. 104에서 재인용.
37) 신평길, "노동당의 반종교정책 전개과정," p. 7.

들이 중심이 된 가정예배처소가 많은 수를 점했다. 가족이나 주위 사람들에게 선교행위는 엄격히 금지되었고 집에서 개별적으로 하는 예배만 허용했다.

이 시기 기독교인들의 신앙활동에 대한 정황을 뒷받침해 주는 다른 증언이 있다. 1967－1972년 유일사상체계 확립과정에서 사면을 받고 돌아온 기독교인들이 있다는 것이다. 북한은 1967년 이른바 5.25교시를 내리고 김일성 가계를 우상화하는 유일사상체계 확립작업을 전개했다. 이 과정에서 반동분자로 추방되었던 기독교인들이 사적연구를 통해 김일성과 관련된 활동들이 밝혀져 1970년경 많이 돌아왔다고 한다. 평안북도 피현군에서 신앙인 가족으로 생활하다 한국으로 입국한 탈북민은 CYJ은 1970년 새로 꾸려 놓은 사적관에 오라고 하여 갔더니 12장로들을 혁명의 영웅으로 모셔 놓은 것을 발견했고, 자신의 부친도 그 가운데 모셔져 있었다는 것이다. 이유인즉, 김일성 가족들의 항일혁명역사를 발굴하던 중, 당시 안수집사였던 자신의 부친이 김형직(김일성 부친)을 도와주었던 사실이 밝혀졌기 때문이었다. 이렇게 볼 때, 유일사상체계 확립 기간 동안에 사면·복권되어 돌아온 기독교인들도 이러한 '가정예배' 형태의 신앙활동에 참여했을 가능성이 있다.

그러나 그루터기 신앙공동체에서 드리는 '가정예배'는 매우 제한된 형태로 진행된 것 같다. 같은 가족이라 하더라도 미성년 자녀들과는 신앙 문제로 어떠한 대화도 나누지 못했으며, 성인이 된 이후에야 조심스럽게 신앙 관련 대화를 나누는 정도에 그쳤다. CHS, LHS, HSY, LSA, CYJ, KHE, LBN, JSH, JYH, JHS 등의 탈북민은 기독교인 가족으로 북한에서 그루터기 신앙공동체로서 신앙생활을 했던 사람들로 이러한 내용을 증언하였다. 미성년 자녀에게는 절대로 자신이 기독교 집안임을 비밀로 했으며 찬송가를 부를 때도 옛날노래라며 들려주었다. 기도는 밤중에 이불 속에서 했으며 이러한 행동을 눈치 챈 자녀들은 '주문 외우는 미신'과 같은 행동으로 오해하기도 했다. 4대째 기독교 집안인 YJS은 원산의 형님 댁을 1년에 2-3번 찾아가 찬송도 부르고 신앙을 나누었다고 한다. JYH 의 경우에는 그루터기 공동체가 예배를 드린다기보다는 기독교적 설명 을 해 주는 정도거나 베껴 놓은 주기도문을 읽고 그것에 따라 잘못한 것 을 생활총화처럼 말하고 간구하는 형식으로 신앙생활을 했다.

기독교에 대한 정치적 차별에도 불구하고 기독교인들이 이처럼 신앙 을 가질 수 있는 또 하나의 이유는 그들이 주변 사람들에게 인격적으로 인정을 받았기 때문이다. HSY은 자신의 어머니가 신앙인이어서 당국으 로부터는 자주 감시를 받았지만 주변 이웃들로부터는 인격자라는 평판 을 받으며 지낼 수 있었다. 또 KHE의 경우도 자신의 모친이 종교인 가 족임이 알려져 있지만, 착한 성품을 인정받아 이웃사람들과 비교적 좋은 관계를 유지했다. 신앙인 가족들은 사회적으로 차별받는 집단이라 자녀 들을 결혼시키는 것도 어려우며, 따라서 서로 가족배경을 잘 아는 기독 교인 사이에 혼인을 하는 관행이 존재한다.

그러나 1967-1972년 사이 유일사상체계 확립작업을 추진하면서 북 한 내 남은 그루터기 신앙공동체는 극도로 위축되었다. 국가적으로 '풀 어주는 사업'과 김일성혁명역사 발굴과정에서 그루터기 신앙공동체에 대 해 제도적으로 인정했음에도 불구하고 기독교 신앙활동에 대한 사회적, 정책적 차별과 박해는 더욱 심해졌다. 시간이 지나면서 반기독교 교양사 업을 통해 점차 기독교를 떠나도록 압박하였으며, 그 결과 1968년에 200개 정도로 허용했던 가정예배소는 1972년 남북대화의 무드가 조성 되던 시기에 예외적으로 100여 개 처소를 허용하였으나, 40개소로 급감 했고, 그 후 20여 개로 크게 줄어들면서 명목상 유지를 하는 상황이 되 었다.[38]

---

38) 신평길, "노동당의 반종교정책 전개과정," pp. 7-8.

3. 종교정책의 변화와 공인교회 내 그루터기 가족들

1) 1972년에 재개한 조그련 활동

그루터기 신앙공동체는 1972년 이후 북한의 공인 종교조직인 「조선기독교도연맹」(99.2. 조선그리스도교연맹으로 개칭)이 활동을 재개함으로써 새로운 위기를 맞았다. 북한은 1972년에 남북대화가 시작되면서부터 북한 내에도 종교활동의 자유가 있는 것처럼 보이기 위해 종교단체의 활동을 허용하였다. 그러나 허가받지 않은 활동에 대해서는 처벌할 수 있도록 법적 조항을 마련하였다. 1972년 12월 헌법 개정을 통해 신앙활동을 법적으로 규제하는 '반종교선전의 자유'(제54조)를 명시하기에 이르렀다. 1948년 헌법에 신앙 및 종교의식 거행의 자유를 허용한다고 되어 있던 대목에 '반종교선전의 자유'를 명시함으로써 종교활동의 탄압 근거를 마련한 것이다.[39]

한편, 1970년대에 이르러 1960년대까지만 해도 배제되었던 종교인들을 혁명의 보조역량에 포함시키고 종교인들과 통일전선사업을 진전시키기 위한 전략적 기획을 시도했다.[40] 조선기독교도연맹은 가입 신자 수를 늘리고 조직을 강화하였으며 지도급 인사들의 해외활동을 활발히 전개하였다. 이때 가정예배소가 일시적으로 100여 개로 늘어났다. 1972년 3년제 평양신학원 운영을 재개함으로써 북한의 기독교 지도자가 체제

---

39) 1948년 헌법 제14조는 "공민은 신앙 및 종교의식거행의 자유를 가진다"라고 되어 있던 조항을 1972년 12월 개정 헌법 54조에 "공민은 신앙의 자유와 반종교선전의 자유를 가진다"라고 규정하여 '반종교선전의 자유'를 처음으로 명시하였다. 1992년에 '반종교선전의 자유'를 삭제하고 "공민은 신앙의 자유를 가진다. 이 권리는 종교건물을 짓거나 종교의식 같은 것을 허용하는 것으로 보장된다. 누구든지 종교를 외세를 끌어들이거나 국가사회질서를 해치는데 리용할 수 없다"(68조)라고 수정하였다.

40) 허종호, 『주체사상에 기초한 조국통일리론과 남조선혁명』(평양: 사회과학출판사, 1976), pp. 112-113; 양호민, "북한사회주의의 실상,"『소련 동구 중국 북한』(서울: 문우사), pp. 210-211에서 재인용.

내에서 재생산될 수 있는 가능성의 기반을 마련하였다.[41]

북한이탈주민(탈북민)의 증언에 의하면 김일성 출생 60주년인 1972년에도 대사면이 있었다고 한다. 오지로 추방되었던 기독교인들 가운데 이때 사면을 받고 돌아온 사람들이 있다는 것이다. 해방 전 한 목사의 딸은 자기 부친이 1956년 반종파 투쟁 때 종파로 몰려 온성군 창평에서 수용생활을 하다가 부모는 수용소에서 사망하고, 김일성의 60주년 출생 때 대사면을 받아 혼자 살아나왔다.[42] 오지로 추방되었다가 다시 돌아온 그루터기 신자의 가족들은 개별적으로 신앙을 유지해 나갔다. 남북대화의 진전 시 남북왕래 국면에 대비하여 군 단위로 교회와 성당 등 종교시설물에 대해 예비지정하는 준비조치도 취했다고 하는데, 활발해진 교회활동을 선전하기 위해 사면을 받고 돌아온 그루터기 가족들이 여기에 동원되었다. 이 과정에서 그루터기 신앙공동체와 조선기독교도연맹 간에 긴장과 갈등이 있었을 것으로 보이는데, 이 부분에 관해서는 앞으로 구술조사를 기초로 심도 있는 연구와 분석이 필요하다.

2) 1980년대의 그루터기 신앙활동

북한은 1980년대 들어 평양에 봉수교회(1988년)와 칠골교회(1992년)를 건립하였다. 교회를 허용한 배경에 대해 북한당국은 우선, 김정일 위원장의 전향적인 종교정책을 들고 있다. 김정일 위원장이 이미 1986년에 종교에 대한 전향적인 해석을 내렸고 그에 따라 종교정책도 새롭게 달라졌다는 것이다.[43] 변화된 종교정책은 1992년 4월의 개정헌법에 반

---

41) 그 후 신약성서와 찬송가(1983년), 구약성서(1984년)를 발간하는 등의 사업을 추진했으며, 1992년에는 신구약성경 합본을 『성경전서』로 출판하였다.
42) 방금희(가명), "북한 지하교인, 남 몰래 신앙심 키우고 있다." 「Jistice」(2005년 10월호), p. 9.
43) 김정일, 『주체사상의 기본에 대하여』, p. 189; 박승덕, "기독교에 대하는 주체사상의 새로운 관점," 『기독교와 주체사상』(서울: 신앙과 지성사, 1993), p. 81에서 재인용.

영되어 '반종교선전의 자유'란 문구를 삭제하고 "종교건물을 짓거나 종교의식 같은 것을 허용"하도록 했다. 1992년 출판된 『조선말대사전』에도 종교를 새롭게 정의했으며, 1998년 4월에 발행된 '세기와 더불어'의 학습사전에는 기독교와 선교사에 대해서도 매우 전향적으로 해석하고 있다.[44]

이러한 변화가 1988년에 가시적으로 나타나기까지는 1980년대 초부터 축적된 대내외적 변화의 배경이 있었다. 결정적인 요인 가운데 하나는 해외교포 종교인들의 빈번한 방북과 한반도 상황변화가 끼친 영향이다. 1980년대부터 북한의 기독교 지도자들과 교류를 추진했던 홍동근 목사는 북한이 1984년 12월 제3차 북과 해외기독자 간의 헬싱키모임에서 이미 북한교회의 건축 사실을 통고했고 1988년 9.9절 참석 시 봉수교회와 장충성당을 참관해 달라는 요청을 했다고 한다.[45] 북한과 교류하면서 홍동근 목사는 성경책도 가져다주고 해방신학, 혁명신학, 민중신학, 정치신학, 여성해방신학 서적들을 전달해 주었다. 이와 같은 교류과정에서 북한은 과거와 같은 숭미사대적인 교회가 아닌 민족주체적인 교회가 북한 땅에 설립될 수 있다는 확신을 갖게 된 것으로 보인다.

또한 북한으로서는 올림픽의 공동 개최 혹은 그 반작용으로서의 1989년의 세계청년학생축전 등을 대비하기 위해 종교에 있어서 어느 정도의 외형이 필요하다는 인식이 이루어졌을 가능성이 있다. 북한당국의 설명에 의하면 1982년에 이러한 정세변화에 대비하여 종교조직을 재정비했다고 한다. 2013년 4월 손효순 목사의 소천으로 봉수교회 담임을 맡고 있는 송철민 목사는 조선그리스도교연맹이 북한 내 산발적으로 신

---

44) 사회과학출판사, 『조선말대사전 2』(평양: 사회과학출판사, 1992), p. 264; 과학백과사전종합출판사, 『위대한 수령 김일성 동지의 《세기와 더불어》 학습사전 1』(평양: 과학백과사전종합출판사, 1998), pp. 193 – 194.
45) 통일신학동지회 엮음, 『통일과 민족교회의 신학』(서울: 한울, 1990), pp. 202 – 203.

앙생활을 하고 있던 신자들을 "1982년부터 조직적으로 장악하고 지도했다"고 설명한다.[46] 1982년에 왜 이러한 결정을 했는지 정확히 판단할 수는 없지만 1988년 하계올림픽의 서울개최가 1981년 9월 30일에 결정된 사건과 관련이 있을 것도 같다. 북한이 기독교를 앞세워 서울올림픽을 방해하는 활동에 이용하거나 혹은 이후 계획한 세계청년학생축전에 선전도구로 사용할 것을 염두에 두었을 가능성이 있다.

북한 내부의 설명을 조금 덧붙이자면, 1980년대에 가정예배소의 모임이 활성화되던 중 1989년 세계청년학생축전을 위해 광복거리 대규모 아파트를 신축하였고, 광복거리 아파트에 인구가 집중됨으로써 가정예배소 모임이 문제가 생겼다는 것이다. 한 지역에 인구가 밀집되다 보니 가까운 지역 내에 가정예배소 모임을 가지려는 사람들이 많아져, 이를 한 곳으로 흡수해야 할 필요성이 생겨났다고 한다.[47] 그 결과 현재의 봉수교회 인근지역에 거주하는 기독교인들은 가정예배소 모임 대신 봉수교회로 흡수하여 통합적으로 관리하고, 동평양 지역에서는 가정예배소 형태로 그대로 운영하고 있다고 한다.

1982년에 기독교를 조직적으로 장악했다는 송철민 목사의 설명을 구체적으로 확인할 길은 없지만, 1983년에 신약성서와 찬송가가 출판되고 1984년에 구약성서가 출판된 사실을 감안하면 1982년에 이러한 정책적 결정이 이루어졌다는 증언은 사실일 것으로 판단된다. 그리고 1986년 김정일 명의로 새로운 종교정책이 하달된다. 북한은 1986년 김정일 명의로 종교에 대한 전향적인 해석을 내리고 그에 따라 종교정책을 새롭

---

46) 민족통신 2016.4.16. 봉수교회 송철민, 한명국 목사와의 대담. https://www.youtube.com/watch?v=mTVGCMebtNs(검색일: 2016.12.12.).

47) 조선그리스도교연맹 관계자의 설명. 망명한 태영호 공사는 당시 일요일에는 버스가 운행되지 않았기 때문에 봉수교회와 장충성당 신자들을 교회나 성당 주변에 거주하는 주민 가운데 선발했다고 하는데, 크게 보면 광복거리 인근의 가정예배소 신자들을 동원했다는 점에서는 해석이 다르지 않다. 태영호, 『3층 서기실의 암호』(서울: 기파랑, 2018), p. 528.

게 바꾸었고 1992년에는 신구약성경 합본을 『성경전서』로 출판하였다. 이러한 종교정책의 변화로 1980년대 들어 평양에 봉수교회(1988년)와 칠골교회(1992년)가 설립되었다.

1980년대의 이러한 기독교 지형의 변화가 북한사회 내부의 필요성과 관련이 있다는 점에 대해 주의를 기울여 볼 필요가 있다. 한 탈북자의 증언에 의하면, 북한은 1980년 10월 6차 당 대회를 앞두고 대사면을 단행했으며, 이 가운데 산골오지로 추방되었던 기독교인들이 대거 사면되어 돌아왔고, 북한에서 지상교회 교인이건 지하교회 교인이건 간에 교인이라고 불릴 수 있는 사람들은 바로 이 사람들이 중심축을 이룬다고 한다.[48] 이 가운데는 당시 89세의 K 목사처럼 2005년까지 생존했던 사람도 있다.[49] 이러한 사실들을 더 깊이 추적해 보아야 하겠지만, 만약 이러한 내용이 사실이라면, 1980년대 초부터 공식 및 비공식 기독교 활동이 재개되었을 가능성이 높다. 그들 가운데는 조선그리스도교연맹이 운영하는 '가정예배소'와 봉수교회, 칠골교회로 흡수되었거나, 조그련에 소속되지 않고 지하교회의 형태로 모임을 갖기도 했다. 봉수교회가 건축되기 전인 1988년 6월 15일 박경서 박사는 만경대구역 성천가정예배소를 이미 방문했다. 그렇다면 광복거리 근처에 밀집되었던 가정예배소를 봉수교회로 흡수했다는 북한당국의 설명도 관심을 갖고 연구해야 할 부분이다.

3) 봉수교회 내 그루터기 신자들

국가의 공식적 허가를 받아 신앙생활을 하고 있는 봉수교회와 칠골교회 및 가정예배소에서는 그루터기 신앙공동체가 어떤 형태로 존재하고 있을까. 위의 설명에 따르면 가정예배소 신자들이 봉수교회로 흡수되었기

---

48) 북한이탈주민 KKO의 증언.
49) 북한이탈주민 KKO의 증언.

때문에 봉수교회 교인들은 대부분 그루터기 신자들과 그 가족들이라고 볼 수 있다. 특히 교회 직분자들의 경우에는 대부분 과거 신앙인 1세대이거나 그 가족들이다. 백중현은 봉수교회에 장로 8명, 권사 14명, 집사 5명 등으로, 박완신은 장로 9명, 권사 6명, 집사 16명으로 밝히고 있는데, 최소한 이 사람들은 그루터기 신앙인과 그 가족들임이 확실하다.[50]

공인교회의 참가자들은 조선그리스도교연맹과 노동당에서 조직적으로 동원하고 있다는 점에서 북한당국에 통제를 받고 있는 사람들이다. 이들은 북한당국에 의해 정치적 목적과 외화벌이를 위해 통제되고 동원되고 있다. 당의 허락이 없이 봉수교회나 칠골교회, 가정예배소에서 예배를 드릴 수 없다는 것은 두말할 필요가 없으나, 어떤 사람들이 교회에 동원되는가 하는 점은 대단히 중요하다. 동원되는 대부분의 사람들은 과거 신앙인 후손들로 가족·친지관계 때문에 종교인 가족으로 국가의 부름을 받고 동원되어 나온 사람들이다. 물론 이들을 관리·통제하기 위해 동원된 소수의 사람들과 함께 섞여 있으므로 모든 사람들이 과거 신앙인 가족이라 말할 수는 없다. 그러나 소수의 관리인원을 제외하면 다수의 사람들은 과거에 유명한 기독교인 가족의 후손들이다.

봉수교회에는 과거 목사, 장로, 권사의 자녀들로서 최소한 20명 이상의 그루터기 신자들이 출석하고 있음을 확인할 수 있다. 봉수교회에서 북한성도들과 예배를 함께 드려본 경험이 있는 사람들은 봉수교회의 성도들 가운데 상당수가 신앙의 배경이 있는 사람들일 것으로 평가한다. 이 교회에 그루터기 신앙인 가족이 동원되어 있다는 사실은 매우 중요하다. 여기에 동원되어 나올 정도의 사람들은 북한당국으로부터 사상적으로 인정을 받는 사람들일 것이어서 당원일 가능성도 높다. 그렇지만 이 공인교회를 긍정적으로 보아야 하는 이유는 이들 중 다수가 과거 기

---

50) 백중현, 『북한에도 교회가 있나요?』(서울: 국민일보, 1998), p. 29; 박완신, 『평양에서 본 북한사회』(서울: 도서출판답게, 2001), p. 238.

봉수교회 예배 장면

독교인 가족이라는 사실이다. 현 시점에서 당장 이들이 신앙을 가지고 있는지 아닌지는 판단하기 어렵지만, 과거 훌륭한 기독교인 가족이라는 점에서 관심을 갖고 돌아보아야 할 사람들이다.

관심을 가지고 보아야 할 다른 이유는 동원된 교인들 가운데도 변화가 일어나고 있다는 점이다. 2016년 영국의 북한대사관에서 한국으로 망명한 태영호 공사는 다음과 같이 증언한다. 봉수교회와 장충성당에 동원되어 나온 사람들이 시간이 흐르면서 신앙이 생겨난 데 대해 북한 당국이 촉각을 곤두세웠다고 한다. 처음에는 이들을 교회나 성당에 나오게 하는 것이 정말 어려운 일이었으나 어느 순간부터 여기에 나오는 여성들의 수가 늘어났고 진짜 신앙이 생겼음을 당국이 간파했다는 것이다. 주일에 교회 주변을 서성이는 사람들이 있어서 체포해 조사해 보니 과거 신자였음이 드러나 북한에 신자가 없고 종교문제가 해결되었다고 선언했지만 교인들은 당국의 탄압이 두려워 신앙을 버렸다고 했을 뿐 신앙을 유지하고 있었다고 한다.[51]

51) 태영호, 『3층 서기실의 암호』, pp. 528-530.

물론 봉수교회 안에 있는 모든 성도들이 과거 기독교인 가족들인 것만은 아니다. 그 안에는 관리·통제의 목적으로 함께 참여하고 있는 소수의 사람들이 공존한다. 봉수교회를 방문하여 대화를 나눠 보면 성도들이 어느 집단에 속해 있는지 대강 짐작을 할 수 있다. 또 교회를 담임하는 목회자와 전임으로 일하는 사람들은 조국통일민주주의전선(조국전선)에 소속되어 있는 일군들이다. 조선그리스도교연맹의 일원으로 교회에 파견되어 나와 있으나 조국전선에 소속되어 민간통일전선사업을 담당하는 일군들이다.

그렇다고 하여 이들이 종교적 관련이나 관심이 없는 것은 아니다. 봉수교회의 송철민 목사와 한명국 목사의 경우에도 기독교 집안으로서 국가의 부름을 받아 일을 하고 있는 상황이다. 1968년 7월 성천군에서 출생한 송철민 목사는 할아버지와 할머니가 강양욱 목사에게 영향을 받은 기독교 집안으로 1999년부터 봉수교회에 신자로 다녔다. 2000년부터 신학공부를 하였고 강영섭 목사의 권유로 2010년 5월 목사 안수를 받았다. 2010년 8월 봉수교회 부목사로 부임했고 2013년 4월 손효순 목사의 소천으로 봉수교회 담임목사를 맡고 있다. 함남 영광군 출생인 한명국 목사는 할아버지와 할머니가 기독교인으로 1982년 평양에서 김원균명칭 평양음악대학에서 공부하였다. 어머니가 음악을 좋아했고 본인은 찬송가를 배웠다. 1999년부터 교회에 다니기 시작하여 2000년 신학을 공부하였다. 2014년 12월 봉수교회 부목사로 부임했다. 이들 모두 신앙인 3세라는 사실이 흥미롭다.

4) 칠골교회 내 그루터기 신자들

김일성 주석의 어머니 강반석 집사를 추모하기 위해 건축된 칠골교회는 세워진 배경에 하나의 일화가 있다. 북한에 개신교와 천주교를 대표하는 봉수교회와 장충성당을 각각 하나씩 건축한 이후 왜 개신교 교회만 또 하나를 더 지었느냐 하는 점은 선뜻 이해가 되지 않기 때문에 더욱 관심을 끄는 부분이다. 김일성은 봉수교회를 짓고 난 이후 그의 어머니(강반석)가 한동안 꿈에 늘 보이자 최덕신(사망)을 불러 그 이유를 물으며 어머니를 위해 기쁘게 할 일이 무엇이 있겠느냐고 문의했다고 한다. 당시 천도교 교령이었던 최덕신은 김일성 주석에게 김 주석의 어머니가 교인인데 어머니를 위해 교회당이라도 하나 더 지어 바치는 것이 좋겠다고 제안을 했고, 김일성 주석은 다소 엉뚱하게 들리는 최덕신의 제안을 흔쾌히 받아들였다. 그런 후 김일성은 어머니가 다녔던 교회를 당시 그 주변에 살던 노인들의 고증을 토대로 하여 현재의 칠골교회를 건축하였다.[52]

칠골교회에 그루터기 신자들이 어느 정도 포함되어 있는지 파악하기 쉽지 않다. 칠골교회를 다년간 출석했던 D씨는 칠골교회의 성도들은 분명히 신자들이라고 확신한다. 교회분위기도 시간이 지나면서 점차 좋아졌고 특히 황민우 목사의 설교는 처음보다 많이 달라졌다고 한다. 칠골교회를 담임하고 있는 황민우 목사는 언행에 있어 매우 신실한 목회자로 평가되고 있다. 또 칠골교회를 상당 기간 동안 출석한 Y씨는 교회예배를 보통 10시에 드리고 외부에서 손님이 오면 예배를 마치고 기다린다고 한다. 외부손님이 있을 때는 긴장하여 좀 어색하지만, 외부손님이 없으면 예배를 마치고 차도 마시며 오히려 자연스럽다고 한다. 성가대 찬양곡도 다양해졌고 황 목사의 설교나 교회분위기가 점점 좋아졌다고 말한다. 90명의 성도 가운데, 장로 3인과 권사 1인(모두 여성), 3명의 집사(남자 1명, 여자 2명) 등 직분을 맡은 사람들은 그루터기 신자임이 분명하며 일반 교인들 가운데도 있을 가능성이 크다.

---

52) 김일성과의 대담, 이운영 장로 증언(1990.5.).

5) 가정예배소 내 그루터기 신자들

가정예배소는 북한교회에서 중추적인 역할을 담당해 왔는데 북한당국은 북한에 약 513여 곳의 예배처소가 있는 것으로 밝히고 있다. 평양과 남포, 개성에 각각 30개소, 평안남북도 각 60개소, 그 외의 도에 40개소씩 존재하고, 양강도와 자강도는 산간지역이어서 가정교회가 아직 없다고 한다. 이들 가정예배소는 장로나 집사 등 평신도에 운영된다.

그러나 조선그리스도교연맹의 이러한 설명에도 불구하고 지금까지 외부인들 가운데 가정예배처소를 직접 방문한 경우는 극히 드물다. 북한의 가정예배소를 처음 방문한 시기는 1982년으로 1988년 봉수교회가 건립되기 전까지 4 − 5곳의 가정예배처를 방문하였다.[53] 봉수교회와 칠골교회가 건립된 이후에는 가정예배소 방문이 관심 밖으로 밀려났다. 대북 인도적 지원과 함께 가정예배소를 다시 방문하게 되었는데, 방북자들은 지금까지 평양시의 옥류, 낙랑, 순안, 형제산, 대동강 등 5 − 6곳의 가정예배소를 방문했다. 지방의 경우에는 봉수교회가 세워지기 전인 1987년 개성의 가정예배소를 방문한 것이 전부이다. 전국에 513개의 가정예배소가 존재한다는 북한당국의 설명과는 달리, 지방의 경우에는 가정예배소가 조직상으로만 존재할 뿐 실제 활동이 있는 것 같지는 않다. 과거 기독교가 크게 부흥했던 평안북도의 일부 지역도 북한당국이 가정예배소 방문을 공식적으로 허용한 사례는 아직 없다.

북한의 가정예배소 방문기회를 갖는 것은 쉽지 않다. 남한의 대북지원단체 중에서도 북한의 조선그리스도교연맹과 교류하는 지원단체나 교회에 한하여 방문기회를 주고, 그것도 여러 번 지원을 한 후 간곡히 요청하는 경우에 한하여 방문기회가 주어진다. 가정현장을 방문하는 경우에도 만나는 시간이 길게 주어지지 않으며, 제한된 시간 중에도 깊이 있는 대화보다는 찬양과 말씀선포, 기도로 채워지는 것이 대부분이어서 북

---

53) 백중현, 『북한에도 교회가 있나요?』(서울: 국민일보사, 1998), p. 45.

녘의 신앙인과 가족 얘기며 신앙과 관련한 대화를 진지하게 나눌 기회가 거의 없다.

　가정예배소에 참석하는 신자들이 어떤 사람들인가에 대해 다양한 견해가 나오고 있다. 신앙과 전혀 관계가 없는 사람들이 북한당국에 의해 동원된다고 주장하는 사람들도 있다. 그러나 필자(김병로)가 2002년 12월 방문했던 대동강구역 옥류가정예배소의 경우, 총 13명 가운데 3명은 직장 일 때문에 참석을 못 하고 9명의 신자들만 참석했는데, 거기에 참석한 신자들은 짧게는 2－3년 전부터 이 모임에 나온 사람도 있고, 1989년부터 나왔다고 하는 사람도 있었다. 가정예배소에 나오게 된 배경은 각자 달랐지만, 참석자들이 설명하는 내용으로 보면 모두 신앙인 가족과 관련된 사람들이었다. 그러나 참석자들은 자신의 가족배경을 소개하면서도 신앙의 내용에 대해 자신이 없는 태도를 보였다. 신앙과 관련한 이야기가 나오면 자연스럽게 신앙 1세대인 강세영 장로(여성)는 정말 훌륭한 신자라고 자랑하며 강세영 장로와 대화를 하도록 연결해 주었다. 강세영 장로는 1940년대에 평양의 서성교회에서 담임목회를 한 강병석 목사의 딸이었다.[54] 참석자들은 강세영 장로는 정말 훌륭한 신앙인이라고 추켜세우며, 자신들은 아직 신앙이 약하다면서 겸손해 했다. 낙랑가정예배소에도 왕혜숙 성도가 신앙인 1세대 신자로 참석하고 있었다. 가정예배소에는 대략 1－2명의 신앙 1세대가 포함되어 있는 것으로 보인다.

　짐작컨대, 전쟁 이후 여러 모양으로 남게 된 5－10여만 명의 신앙인 가족들 가운데, 정부당국의 허가를 받은 사람들은 지역별로 가정예배소 단위로 편성되고 필요에 따라 모임을 소집하는 것 같다. 조선그리스도교연맹 관계자의 말에 의하면, 현재 1만 2천3백 명의 그리스도인들 가운데

---

54)　강세영 장로는 어릴적 교회와 가정에서의 신앙생활, 부친 강병석 목사가 숭실중학교에서 성경공부를 가르쳤던 일, 조만식 장로와의 관계 등에 대해 진솔하게 설명했다.

약 6천 명이 맹원으로 등록되어 12-13명으로 구성된 가정예배처소에서 예배를 드리고 있고, 나머지 6천 명은 개별적으로 신앙생활을 하고 있는 것으로 파악하고 있으나 시골지역에 드문드문 거주하고 있어서 조그련에는 등록하지 않고 개별적으로 신앙활동을 하고 있다고 한다. 그러나 가정예배소는 평소에 주기적인 모임을 갖고 있지 않다는 관측이 지배적이며 필요할 때 소집하는 형태로 운영하고 있다. 북한에 상당 기간 동안 체류했던 사람의 경험에 따르면, 가정예배소는 정기적인 모임을 갖는 것 같지는 않으나 언제든지 동원 가능한 형태로 조직화되어 있다는 느낌을 받았다고 한다.

■ 가정예배처소 사진

낙랑가정예배소

순안가정예배소

옥류가정예배소

옥류가정예배소에서 찬송하는 모습

형제산가정예배소

4. 1990년대 식량난과 '지하교회' 내 그루터기 가족들

'지하교회'를 일반적으로 공인교회와 대비되는 개념으로 사용하는데, 여기에서는 지하교회를 그루터기 신앙공동체와는 별도로, 1995년 식량난 이후 탈북자들을 통해 복음을 받아들여 신앙을 갖게 된 새로운 신자들의 공동체를 의미한다. 북한은 1995년과 1996년 여름 연거푸 대홍수 피해를 입고 1997년 한파로 극심한 식량난을 겪으면서 이를 극복하기 위한 '고난의 행군'을 전개하였다. 그 결과 1백여만 명이 기아로 사망하는 과정에서 약 30만 명이 중국으로 탈출하였고, 이들 중 80% 이상이 인도주의 지원 및 선교활동을 하는 한국·미국 선교사와 중국교회의 도움을 받았다.

이후 북한 내부 경제상황이 진정되어 30만 명 가운데 20여만 명이 북한으로 다시 돌아갔고, 이들 중 일부가 북한 안에서 신앙생활을 지속하며 활성적 모임을 갖고 있다. 이른바 지하교회 신앙활동이 시작된 것이다. 그루터기 신앙공동체가 개별적으로 흩어져 존재한다면, 지하교회는 그루터기 신자들보다는 좀 더 활발한 활동을 하고 있는 모임으로 구분해 볼 수 있다. 그루터기 신앙인들은 가족 내에서 혹은 가까운 친척들 간에 소규모 그룹으로 신앙활동을 유지하고 있는 반면, 지하교회는 2-3명 혹은 7-8명의 네트워크 형태로 연락하며 교제하는 모임을 말한다.

북한의 지하교회 활동은 주로 북한에 복음을 직접 전파하고자 하는 '선교회'를 통해 한국사회에 알려지게 되었다. 남한의 선교단체들은 지하교회 신자의 규모를 약 10만-30만 명으로 평가한다. 북한의 지하교회에 대한 평가 가운데 하나로 UPI(United Press International) 통신은 한 소식통을 인용해 북한 내에 권력층을 포함해 50만 명의 기독교인이 존재한다는 다소 높은 추정치를 보도한 바 있다.[55] 전 세계의 핍박받고

---

55) 「국민일보」, 2002.3.5.

있는 기독교인을 위한 국제선교단체인 순교자의소리(VOM)와 국제기독교관심(ICC)의 보고서를 인용, 중국에서 기독교 신앙을 접한 북한주민들이 북한으로 되돌아가 비밀리에 지하교회를 설립하면서 북한 내에 기독교인들이 늘고 있으며 이 가운데는 권력층도 포함돼 있다고 보도했다.

UPI는 또 이들 지하교회 성도는 북한이 공산화되기 이전에 이미 신앙을 갖고 있던 노년층과 중국에서 기독교 신앙을 접한 어린 청소년층이 주축을 이루고 있다고 전했다. UPI는 미국의 워싱턴DC에 본부를 두고 있는 ICC의 보고서를 인용하여, 북한 내에 있는 10만 명의 기독교인이 강제 노동수용소에 수용돼 의복과 음식 등을 박탈당한 채 가혹한 고문을 받고 있다고 전했다. 북한의 시골지역까지 방문하는 조선족 보따리 장사꾼들이나 연변에서 활동하는 선교사들에 의하면 외딴 집이나 산속, 논두렁 아래 등에서 서너 명씩 비밀리에 예배를 드리는 경우도 있다고 한다.

그러나 정확한 규모를 파악하기는 거의 불가능하다. 선교회에서 파악하는 지하교회의 규모가 10만 혹은 30만 명이라고 하는 것은 위에서 언급한 그루터기 신앙공동체를 포함하여 포괄적으로 추정하는 수치라고 볼 수 있다. UPI의 50만 명이라는 평가도 그루터기 신앙가족과 최근 복음을 접하게 된 지하교회 활동가들을 포함하고 있는 것으로 볼 수 있다. 대체로 그루터기 신앙인들을 지하교회 공동체에 포함하고 있다는 것은 그루터기 신앙인의 역할이 지하교회를 구성하는 데서도 간과할 수 없는 부분임을 말해 준다.

지하교회라고 불리는 새로운 조직에 대한 불투명한 요인으로 인해 탈북자 중심의 지하교회가 과연 자발적이고 순수한 신앙조직인지 의문이 제기되기도 한다. 새로운 신자공동체로서의 지하교회는 선교기관과 기독교 단체에 의해 외부로 알려진 것 이상으로 많은 문제점을 안고 있기도 하다.

첫째로, 지하교회에 북한의 정보원들이 침투하여 정보기관에 이용당하고 있는 부분이 적지 않다. 북한정보기관은 정보원들을 다양한 부류의 탈북자로 가장하여 중국으로 내보내 탈북자 신앙훈련 장소에서 훈련을 받게 하고 선교관련 정보를 모두 입수한다. 특히 황장엽 씨의 망명 이후 1997년 보위사령부(1996년 조직)에 탈북자 침투반을 운영하면서 탈북자에 대한 선교정보를 조직적으로 입수하고 있다. 중국의 선교사들은 비밀스럽게 운영한다고 생각하고 있는 부분까지도 거의 대부분 북한 정보기관의 통제권하에 들어가 있다. 북한의 정보기관은 이러한 루트를 역이용하여 지하교회 조직을 통해 정보도 얻고 외화벌이도 하는 등 심각한 문제점이 놓여 있다.

둘째로, 지하교회의 교인들의 신앙 자체도 많은 문제를 안고 있다. 북한 내 신앙생활에 대한 통제가 매우 엄격하여 실제로 전도활동은 정상적으로 이루어지지 않는다. '하나님'이라든가 '기도'라는 말을 쓰는 사람들은 정신이상자로 간주되기 때문에 기독교에 대해 직접적으로 언급하지 못한다. 이로 인해 기독교 신앙이 미신이나 민속신앙과 혼합되어 존재할 수밖에 없는 것이 현실이다. 공인교회가 과도하게 정치화되어 있는 것이 문제라면, 지하교회는 미신이나 민속신앙과 혼합되어 있다는 문제점이 있다.

셋째로, 지하교회가 탈북자들의 물질적인 도움이나 개인적 필요를 공급하는 수단으로 이용되고 있다. 남한이나 외부에서 지하교회에 대한 물질적 지원을 많이 제공한다는 점을 이용하여 탈북자들이 외부로부터 경제적 도움을 얻는 수단으로 남용하고 있다. 북한 내 권력자와 고위층들은 선교기관에서 주장하는 것처럼 기독교로 개종한 것이 아니라, 개종을 가장하거나 혹은 일시적 개종을 통해 경제적 부를 축적하는 기회로 적극 활용하고 있는 경우도 많다. 대개의 지하교회가 비즈니스와 연결되어 있기 때문이기도 하다. 때문에 실제로 경제적인 필요를 채운 이후에는 신앙생활에 대한 심각한 반감을 갖고 교회에 해를 끼치는 부작용도 나타나고 있다.

이런 점에서 볼 때, 지하교회의 규모나 실체가 실제보다 과장되게 알려져 있을 가능성이 있으며, 그 활동에 대해서도 보도되는 내용을 액면 그대로 받아들 수 없는 부분이 많다. 이런 측면에서 지하교회 규모를 가장 적게 보는 기관에서는 1-2천 명 수준으로 평가하기도 한다. 이러한 현실을 명확히 제대로 파악하기 위해 최근에 신앙활동을 시작한 탈북자 중심의 지하교회와 그루터기 신앙공동체를 구분하여 살펴볼 필요도 있다. 전자는 정보당국의 통제망에 노출되어 있을 가능성이 큰 반면, 후자는 가족·친척 간 네트워크로 북한당국의 감시망을 피하여 좀 더 은밀하게 존재할 수 있기 때문이다. 그러나 지하교회는 정보당국의 감시망에 노출될 위험이 높음에도 불구하고 실제로 필요한 사람들에게 도움을 주는 강력한 통로가 되고 있고, 또 그루터기 신앙인들에게도 기대와 희망을 줌으로써 이들을 격려할 수 있다는 점에서 긍정적인 측면을 갖고 있다.

지하교회 활동 가운데는 그루터기 신앙공동체와 연결되어 있는 경우도 있다. 하나의 예로, 탈북자가 중국에서 복음을 받아들인 후, 북한에 돌아가 자기 어머니에게 복음을 전했는데, 그 어머니는 아들 몰래 신앙생활을 하고 있던 그루터기 신자였음을 고백하여 함께 신앙생활하던 가족의 사례도 있다.56) 또 아버지가 과거 평양신학원을 다녔으며 개인적으로 신앙을 지키고 있었다는 사실을 탈북한 이후에야 비로소 알게 된 사례도 있다. 중국에서 복음을 받아들인 후, 그루터기 신자에 대한 정보를 가지고 북한 내에서 전도를 위해 접촉하는 경우도 있다.

북한이탈주민 KYJ는 LYJ로부터 복음을 전해 받았는데, 80세 정도였

---

56) 북한이탈주민 JYH는 자기 동생이 중국에서 예수를 믿고 돌아와 어머니에게 복음을 전했는데, 어머니는 이미 예수를 믿고 있는 기독교인이라고 말해서 동생이 깜짝 놀랐다고 한다. JYH는 이것을 듣고 신앙을 갖게 되었다고 한다.

던 LYJ(여성)는 기독교 집안으로 가족들이 모두 처형당하는 과정에서 예수를 부인하고 목숨을 건진 것을 평생 후회하면서 북한의 H지역에서 복음전도자의 삶을 살고 있다고 한다. 또 북한이탈주민 KKO의 시어머니는 23세까지 평양에서 예수를 믿었고 시어머니의 아버지는 장로였는데, KKO 가족은 모두 친척관계로 얽혀져 12명이 함께 모여 예배를 드렸으며, M지역에서는 70명가량이 1년에 2회 정도 집회를 했다. 또 다른 H지역에도 36명의 지하교인이 있으며, 다른 H지역에서는 5명 정도가 모여서 가정예배를 드렸다.[57] 또한 S지역에 134명의 신자들이 신앙생활을 하고 있다는 주장도 있는데, 지하교회 책임을 맡고 있는 C씨는 장로의 아들로 역시 그루터기 신자다. O지역과 C지역에서도 20명가량의 신자들이 지하교회로 예배모임을 갖고 있다.

북한의 지하교회 활동은 가족 네트워크를 중심으로 이루어진다. 북한의 지하교회에서 활동하며 전도한 경험이 있는 SKI는 지하교회의 구성은 철저히 가족과 친척 위주로 되어 있다고 한다. 때문에 이러한 현실을 아는 많은 탈북자들은 북한에 지하교회란 존재할 수 없다고 주장한다. 북한에서 4대째 신앙을 이어오고 있는 YJS은 북한에서 지하교회란 있을 수 없다고 단언한다. 자기와 같은 과거 신앙인 가족들은 가족들 간에 찬송하고 기도하는 간단한 모임을 가질 수는 있지만, 새롭게 신앙을 받아들여 예배활동을 하는 것은 불가능하다는 것이다. 이러한 증언들은 그루터기 신앙공동체는 존재할 수 있지만, 지하교회의 활동은 불가능하다는 사실을 지적하는 것이다.

추론컨대 지하교회라고 불리는 신앙인들 가운데 실제로 탈북자를 통해 새롭게 개종한 신앙인들은 매우 제한적 규모로 존재한다. 지하교회로 알려진 많은 경우, 과거 그루터기 신앙공동체인 사례가 많고, 또 그러한 공동체와 연결되었을 때 지하교회가 활발하게 활동할 수 있게 된다. 소

---

57) 북한이탈주민 JSH 증언.

극적·개별적 활동에 머물러 있던 그루터기 신앙인들이 개종 탈북자의 지하교회 활동을 통해 보다 적극적이고 조직적인 신앙활동에 참여하게 됨으로써 지하교회를 확대·활성화시키고 있다. 이런 점에서 그루터기 신앙인 가족은 지하교회에서도 중추적 역할을 담당한다고 볼 수 있다.

제2부

그루터기 가족의 삶의 궤적

제3장

목사 가족 이야기

1. 신의주 L교회 I 목사 가족

5대째 신앙의 계보를 잇다

외가(外家) 쪽 증조할아버지와 증조할머니 때부터 이미 예수를 믿음으로 영접한 J 자매는 자녀에 이르기까지 5대가 신앙생활을 하고 있는 믿음의 가족이다. 외가 쪽 가계가 전부 기독교 집안이었다. 외할아버지는 의과대학 출신으로 당시 교회를 다니면서 봉사활동을 하다가 목회에 대한 꿈을 꾸며 평양신학교에서 신학공부를 하였고 영락교회 원로목사인 한경직 목사가 신의주에서 목회할 당시 한 목사로부터 목사안수를 받았다.

당시 I 목사의 부모는 아들이 목회하는 것에 대해 완강히 반대하며 의사로 봉사하기를 원하였지만 평범한 교인으로 있던 외할아버지는 G교회의 담임목사로부터 많은 영향을 받고 목회의 길을 들어섰다. 그래서 목사가 되기 위해 집을 떠나 평양으로 거처를 옮겨 신학을 공부하고 신의주로 가게 되었다. 신의주에 가서 한경직 목사를 만나 신학을 더 배우고 안수까지 받았다. 그때가 1947–1948년도쯤의 일이라고 어머니가 말씀해 주었다. 아마도 평양에서 1946년까지 신학을 공부하고 신의주로 거처를 옮긴 것으로 생각된다.

신의주에서 개척한 교회는 L교회다. 목회하는 중에 한국전쟁이 발발하였다. 그때 한경직 목사는 서울로 내려가고, 외할아버지는 신의주에 남아서 계속 목회를 하시며 교회를 지켰다. 당시 많은 이들이 전쟁 중에 남한으로 내려갔는데, J 자매의 외할아버지는 신의주에 끝까지 남아 목회를 감당하다가 북한당국에 잡혀 감옥에 갇히게 되었고 10년 복역 끝에 결국 감옥에서 돌아가셨다. 당시 외할아버지 혼자 신의주에서 사역을 하고 가족들은 평양에 있었지만, 결국 기독교 집안이라는 이유로 남은 가족들은 함경북도 A군이라는 곳으로 모두 추방을 당하게 되었고 그곳에서 어머니와 아버지가 만나 결혼을 하게 되었다.

추방된 가족들

외할아버지는 1958년에 체포되어 감옥에 갇혔다가 감옥에 갇힌 지 10년 만인 1968년에 돌아가셨고 가족들은 1964년에 추방되었다. 원래는 가족 중에 누군가가 잡히면 남은 가족들은 바로 추방이 되어야 하는데, 북한당국은 외할아버지를 설득해서 평양에서 의사로 활동할 수 있게 하려는 계획이 있었기에 가족들을 추방하지 않고 평양에 그대로 놔두었다. 그런데 외할아버지께서 북한당국의 설득을 거절할 뿐만 아니라 감옥 안에서 계속적으로 전도활동을 하셨고 그 바람에 형량이 더 커져, 5년 후 결국 사형이라는 교형이 떨어지게 되었고, 그즈음에 가족들은 함경북도 A군으로 추방되었다.

어머니는 3남매로 두 명의 오빠가 있었는데, 두 명 모두 추방되었다. 외할아버지가 1968년 감옥에서 처형되어 돌아가셨다는 소식을 들은 외할머니는 그 충격으로 3년 뒤에 돌아가셨다. 어머니 외가 쪽의 신분(성분)은 꽤 괜찮은 편이었다. 외할아버지께서 잡히기 전까지만 해도 집안은 부유했으며, 증조할아버지도 의사셨고, 어머니는 사범대학 출신에 외삼촌들은 법대 출신의 잘나가는 집안이었다. 그러나 예수를 믿는다는 이유 하나만으로 모든 것을 잃고 추방되었다.

추방된 곳에서 반역자의 신분이었던 아버지를 만나 결혼하셨다. J 자매의 아버지는 원래 신앙인은 아니었다. 그러나 어머니와 결혼 후 어머니의 전도와 영향으로 나중에는 아버지도 신앙생활을 하게 되었다. 외할아버지는 돌아가시기 전에 다음과 같이 어머니께 유언을 남기셨다.

나 같은 자식 하나 잘 키워 달라.
(남조선의 교회를 꼭 찾고 연계하여 신앙생활을 해라.
남조선 교회와 연계해서 북조선에 교회를 세워라.)

그래서인지 어머니는 함경북도 A지역에서 살다가 접경지역 쪽으로 나와서 중국 G지역 교회들의 도움을 받아 전도활동을 열심히 하셨다. 그러나 복음 전파의 결과는 참담한 결과로 다가왔다. 오빠는 복음을 전하다가 B지역에서 총살을 당하고 언니 역시 복음을 전하다가 총살을 당하였다. 기독교 신앙을 가지고 있는 것만으로도 목숨을 보장할 수 없는 북한의 현실 속에서 복음을 전하다가 5남매 중에 자식 둘을 잃은 아버지는 어머니의 전도활동을 반대하였다. 그럼에도 전도활동을 멈추지 않은 어머니는 전도활동으로 인하여 보안소에 자주 끌려갔는데 그럴 때마다 중국에서 목사님들이 선교헌금을 보내 주어 그 돈으로 뇌물을 주고 몇 번이나 풀려나기도 했다. 오빠와 언니가 총살을 당하고 난 후에는 G지역에서 쫓겨나 더 시골인 J라는 지역으로 다시 추방을 당하였다.

복음을 전해 준 어머니

이러한 신앙의 계보를 잇는 믿음의 집안이었지만 J 자매는 10살 때까지도 복음에 대해 제대로 들어 본 적이 없었다. 그냥 외할아버지가 간첩질을 해서 반역자라고 들었고, 자꾸 남한으로 내려가려고(탈북) 하고 김일성을 반대하고 우상숭배를 하여 추방당했다고 이해하고 있었다.

예수를 믿기 전에 아버지는 술 마시고 들어오면 어머니를 때리고 그랬는데, 그럴 때면 어머니는 혼자서 늘 중얼거리셨다. 그리고 어머니께서 책을 많이 읽으셨는데, 그중에 어떤 책은 절대로 보여 주지 않았고 김치와 감자를 보관하는 땅굴에다가 늘 숨겨 놓고 그 안에서 촛불을 켜고 보시든가 아니면 창고에서 보시곤 하였고 언니와 오빠와도 그렇게 돌아가면서 책을 보았다. 그러다가 도대체 무슨 공부를 그렇게 많이 하는지 궁금해서 어머니에게 물어보면 어머니는 그냥 공부했다고 하면서 J 자매에게도 공부를 열심히 해야 한다는 말씀만 하셨다.

그러다 J 자매가 15살 때쯤 되었을 때 어머니가 북한당국에 잡히는 일이 생겼다. 당시 어머님께서는 G교회 목사님과 연계하여 물건을 주고받았는데, 집에 언니 오빠도 없고, 어머니는 붙잡히게 되어 할 수 없이 J 자매가 심부름으로 국경지역으로 가서 G교회 목사님께 물건을 받아오게 되는 기회가 생겼다.

당시에는 국경 보안경비원들에게 이야기를 하면 중국 사람들과 이야기도 하고 물건도 받고 그럴 수 있었다. 그래서 어머니가 늘 가지고 나가셨던 빨래 통을 가지고 중국 국경지역에 나갔더니 그곳에서 중국 사람이 아이스크림을 주면서 그것을 받아가지고 가라고 해서 받아가지고 오는데 그 안을 보니 비밀에 싸여 있는 책이 있었는데 나중에 알고 보니 그것이 바로 성경책이었다. 그것을 나중에 어머니께 전해 주었더니 그때서야 외할아버지 이야기와 신앙의 이야기를 다음과 같이 해 주셨다.

엄마는 예수님을 믿고 있는데 너(J 자매)는 잘 모르는 분이다. 사람이 아니라 신을 믿는 것과 같은 것이고 아버지하고 싸웠던 이유도 예수님 때문이었다. 이 신을 배우고 믿으면 마음이 평안해지고 복이 오고 집안이 화목해질 것이다. 예수님을 마음에 간직하면 힘들 때 위로가 되고 감사하고 평안하다. 네가 어려서 잘 모르겠지만 책(성경)을 한번 읽으면 예수님이 어떤 분이신지 알게 될 거야. 그렇지만 김일성이 이 사람을 너무너무 싫어하기 때문에 들키면 안 된다. 김일성은 자기가 최고 지도자가 되고 싶어 하는 사람인데 예수님은 김일성보다 더 위에 계신 분이라 김일성하고는 원수지간이다. 그래서 할아버지도 돌아가셨고 우리 가족이 이렇게 추방된 것이야. 하지만 예수님이 지켜주고 계시고 조금씩 잘되고 있단다.

이렇게 신앙을 전수해 주신 어머니는 힘들고 어려울 때 간절히 방언기도를 하셨다. 간절히 원할 때 기도하면 이루어질 것이라고 자녀들에게 가르친 대로 몸소 본을 보이신 것이다. 어머니는 늘 하나님을 만나게 하는 통로가 되게 해 달라고 기도하며 그 통로를 하나님께서 만들어 주셨다고 말씀하시며 다음과 같이 간증해 주셨다.

처형감이었는데 처형당하지 않게 도우시고,
중국의 선교사님들과 목사님들을 통해 도우시고,
더 일찍 처형될 수도 있었지만 외할아버지가 감옥에서 더 오래 살아계시게 도우시고,
모든 자녀를 처형해야 한다고 공표가 났는데 그 상황을 도와주셔서 살려주시고,
반역자 집안이라고 손가락질 받음에도 아버지를 만나 결혼하게 하시고,

G라는 국경도시로 나올 수 있어서 중국과 통로가 열리게 하
시고,

무엇보다 지금까지 살아있는 것이 하나님의 은혜이다.

어려운 곤경에 처할 때마다 힘들긴 했지만 가족을 위한 어머니의 간
절한 기도가 있었기에 여기(남한)에 있는 것이라고 J 자매는 말한다. 지
금도 어머니는 북한 땅에서 기도하고 계신다.

5시에 일어나 가정예배 - 외할아버지의 신앙교육
많이 어려웠을 시기인데도 외할아버지께서는 자녀들에게 성경공부를
많이 시켰다. 평양에 있을 때부터 아침 5시면 일어나서 자녀들을 다 깨
워서 예배드리셨다. 평양에 있을 땐 평양에 있는 교회로 가고 신의주에
있을 땐 신의주에 있는 교회로 가고 그랬었다. 할아버지는 밤늦게까지
성경공부하셨고 의료선교 일도 하셨다. 증조할아버지가 돈이 있어서 의
약품을 구해다 주셨고 그래서 치료는 무료로 해 줄 수 있었다. 그러면서
하나님을 전했다.

외할아버지가 감옥에 있을 때는 외할머니가 가르쳐 주셨다. 자녀들을
일찍 깨워서 함께 기도하고, 1시간 이상 성경책을 통독하고 암기해서 시
험을 보았는데, 형제 중에 J 자매의 어머니는 머리가 좋아서 성경을 20
장씩 외우고 100점 받았다. 그렇게 외할머니의 신앙도 좋았다. 외할머니
는 외할아버지께서 돌아가시고 3년 있다가 돌아가셨으니까 1970년도 아
니면 1971년도에 돌아가셨을 것으로 기억한다. 외할아버지가 돌아가신
것에 충격받아서 뇌경색이 오고 치매가 왔는데 딱 8개월 고생하시다가
돌아가셨다. 몸이 안 좋으신 데도 외할머니께서 외할아버지 대신 역할을
잘하셨다.

'믿음의 생활총화'

귀한 신앙의 유산을 이어받은 어머니도 자녀들에게 신앙교육을 하셨다. 먼저 어머니의 전도 대상자는 가족들과 친척들이었고 결국은 가족들과 친척들이 모두 예수를 믿게 되었다. 그래서 공식적으로는 가족 모임이라고 하고선 가족들이 모이면 사람들이 없는 산에 모여서 그곳에서 성경책을 읽고, 성경공부도 하고, 기도도 하고 하였다. 그때 두 사람은 누가 오지는 않는지 망을 보았다. 이러한 시간을 통해서 가족 모임도 하고 신앙의 전수도 이뤄졌으며 가지고 온 음식도 함께 나누는 시간을 가졌다. 가족 단위로는 한 달에 한두 번씩 이러한 시간을 가졌고, 수요일은 J 자매 가족만 모여 예배를 드렸다.

예배를 드릴 때면 땅굴에 모여서 학교생활하면서 힘든 것도 말하고 아버지에게 화냈던 것도 미안하다고 이야기하고 아버지를 설득하기도 하여 결국 아버지도 함께 믿음길을 걷게 되었다. 아버지도 어머니와 마찬가지로 성경책을 읽어 주시고, 요약해서 말씀해 주시며 일상생활에서 적용할 수 있도록 해 주시며 지도해 주셨다. 북한식으로 말하면 믿음의 생활총화를 했다고 말할 수 있을 것이다. 잘못한 것이 무엇인지 이야기하고 예수님이라면 어떻게 하셨을까 생각하며 낮은 마음으로 살라고 가르쳐 주셨다.

2. 황해도 신천교회 김익두 목사 가족

6.25전쟁 시기 피살된 할아버지

김익두(1874 – 1950) 목사는 황해도 재령 출신으로 일제강점 시기 조선반도의 부흥운동을 일으켰던 저명한 목사다. 1910년 평양장로회신학교를 졸업하여 목사가 되었고, 신천교회에서 목회를 시작한 후 생애의 대부분을 그곳에서 목회하였다. 1907년 평양 장대현교회의 사경회에서

부터 시작된 대부흥운동은 1910년대에 절정을 이루었는데 김익두 목사는 이 부흥운동의 중심에 있던 인물이다. 1920년 6월 평양의 연합부흥집회에는 그의 설교를 듣고자 3천 명을 수용하는 장대현교회당이 좁을 정도로 대중이 몰려들었고, 같은 해 10월 서울의 승동교회에서 열린 7교회 연합집회에는 1만여 명이 참석하여 대성황을 이루었다.

일제강점 시기인 1943년 신의주 제1교회에서 부흥회를 마치고 돌아가던 김익두 목사를 일본경찰이 강제로 연행하여 신사참배를 하게 하고, 일본관헌은 이를 선전 자료로 삼기도 했다. 그는 국내와 일본, 시베리아 등 여러 곳을 다니며 776회 부흥집회를 인도했고 150여 교회당을 세웠으며 2만 8천여 회의 설교로 수많은 사람들을 개종시킨 목회자다. 해방 후 김목사는 1946년 11월에 북한이 조직한 북조선기독교연맹에 총회장으로 활동하는 등 김일성 정권에 협력하였으나, 반공연대를 조직하는 등 우익인사들을 지원하는 활동을 하다 1950년 10월 14일 새벽기도회 시간에 신천교회에 난입한 공산군에 의해 피살되었다.

고아원에서 자란 손자, 신앙을 접하다

김익두 목사의 가족이 이후 어떻게 되었는지 알 수 없지만 김익두 목사의 손자 K 형제의 아내이자 김익두 목사의 손자며느리인 B 자매를 통해 어렴풋하게 김 목사의 이후 행적을 들을 수 있었다. 김 목사의 자녀들 가운데 미국에 거주하는 가족도 있어서 시간이 조금 더 있다면 보다 상세한 내용을 파악할 수 있을 것으로 보이는데 관련된 가족들을 면담하지 못하는 아쉬움이 있다. 미흡한 부분은 추후 과제로 남겨두어야 할 것 같다.

김익두 목사의 손자 K 형제에 따르면 가족에 대한 기억이 거의 없다. 어렸을 적 고아원에서 자랐다는 것 외에는 가족에 대해 기억 중 남는 것이 없다. 추론컨대 김익두 목사 가족은 김 목사의 순교 이후 자녀들을 처형하거나 추방지로 보내면서 손자손녀는 고아원으로 보냈을 가능성이 크다. 이 부분에 대해 손자의 기억이 전혀 없어서 아쉬움이 컸다. 손자가 고아원으로 보내졌다는 점으로 보아 김 목사의 자녀들은 처형되었을 가능성이 더 크다. 그러나 추방된 가족들 가운데 자녀들을 함께 동반하지 않고 남겨둔 경우가 있기 때문에 단정적으로 말하기는 어렵다. 아무튼 자녀가 자기 부모에 대한 기억이 전무할 정도로 완전히 통제되고 억압된 환경 속에 놓여 있었다는 사실이 당시 기독교인 가족들이 겪어야 했던 아픔과 고통을 말해 준다.

다행히 1996년 1월 탈북을 하여 중국 T지역에서 제법 큰 중국교회를 가게 되었는데, 거기서 한국에서 온 사람들이 서로 이야기하면서 아무개 목사님이라고 부르며 대화를 나누는 것을 들었다. 그래서 K 형제는 어렸을 때 사람들이 할아버지를 목사님이라고 부른 것이 생각이 나서 한국 목사들에게 할아버지도 목사였다고 이야기를 했다. 그랬더니 한국 목사들이 할아버지 성함이 어떻게 되냐고 물어서 "김익두입니다"라고 했더니 다들 깜짝 놀라며 김익두 목사의 손자냐며 반겨 주었고, 그것이 계기가 되어서 신앙을 갖게 되었다고 한다.

그러나 K 형제의 아내인 B 자매는 남편과 결혼을 하고 함께 살면서 남편으로부터 한 번도 자신이 신앙인 가족이라는 얘기를 나눠본 적이 없다. K 형제가 감옥에 갇혀 죽기 전까지도 그 사실을 전혀 몰랐다. B 자매의 증언에 의하면 남편은 고아원에서 자랐다고 하는데, 남편은 다른 사람이 아버지나 가족들에 대해 물으면 늘 '모른다', '생각이 안난다'고 말했다고 한다. 남편이 고아원에서 공부하면서 목사와 선교사가 제일 나쁜 놈이라고 배우고 승냥이라고 하니까 할아버지에 대해서 말하면 죽겠구나 생각해서 몇십 년을 살아도 그 누구에게도 할아버지에 대해서 이야기를 하지 않은 것으로 B 자매는 회고했다.

서로의 신앙을 전혀 눈치 채지 못했던 부부

남편에 관한 이러한 이야기는 남편과 결혼하고 함께 살면서도 전혀 몰랐고 남편이 감옥에 갇혀 죽기 전까지 그가 신앙인이었던 사실을 조금도 알아채지 못했다. 남편에 관한 이 모든 이야기는 탈북 이후 남편이 중국에서 다녔던 B교회에서 들은 내용이다. 남편이 신앙을 가지고 있었던 사실을 살아생전 직접 듣지 못했고 남편이 감옥에 있을 때 자식들을 통해 듣게 되었다.

B 자매 또한 남편에게 신앙에 관한 부분을 전혀 이야기할 수 없었다. 어렸을 때 어머니한테 십자가 목걸이가 있었는데 어머니는 누구에게도, 아무리 친한 사람이라도 십자가 목걸이에 대해서 이야기하지 말라고 하셨다. 어머니는 B 자매가 결혼한 후 남편에게까지도 비밀을 간직해야 한다고 당부했다. 그래서 남편에게 십자가 목걸이나 신앙에 대한 부분을 발설하지 않았고 결국 남편과 B 자매는 같은 신앙의 길을 걸으면서도 몇십 년 동안 서로에게 단 한 번도 이야기하지 않았다.

남한에서는 이해가 안 되지만, 북에서는 그래야만 했다. 부부간에든 부모와 자식 간에든 수령의 교시와 당의 지시에 조금이라도 틀린 모습을 보이면 신고해야 한다고 아주 어렸을 때부터 교육을 받는다. 그리고 이러한 세뇌교육은 서로를 늘 감시하는 구조를 만든다. 그리고 실제로 부부간에 신앙에 대한 것을 말했다가 정치범 수용소에 간 사람들도 더러 있었다. B 자매의 가족은 독립투사 가족이며 전사자 가족이기에 성분이 좋았고, 그래서 남편은 언제 어떤 말로 밀고가 들어갈 수 있을지 모르기에 말하는 것에 더 조심했다.

B 자매는 남편이 같은 신앙의 유산을 물려받고 마음에 간직하고 있었으면서 수십 년 동안 서로에게 말하지 못한 것이 너무도 마음이 아프다고 말한다. 귀한 신앙의 유산을 물려받은 것이 가정에 엄청난 축복이고 감사한 일인데, 인생에서 가장 귀한 것을 평생 숨기고 살았다는 것이 너무나

도 슬프고 안타깝다. 신앙의 자유가 있는 곳에서 남편을 만났다면 하는 생각에 늘 마음 한쪽이 아려온다는 B 자매의 말이 잊혀지지 않는다.

가족의 신앙 계보

B 자매 쪽도 모두 기독교 가족이다. 외할머니는 중국에 사셨는데 해방 후에 남의 나라에서 살면 되겠냐고 하면서 아버지와 함께 강원도 고성에 와서 자리를 잡았다. 아버지는 강원도 양양의 어느 병원에 내과의 사셨다. 어렸을 때 기억에 어머니는 일상생활 속에서 늘 중얼중얼하고 그러셨는데, B 자매가 옆에 가면 그 말을 그치곤 하셨다. 전쟁이 끝난 후 과부들이 동네에 많았는데, 과부들이 집에 오면 어머니는 "하늘이 다 지켜준다", "하늘에 대고 울면 다 들어준다"는 말을 하셨다. 그래서 B 자매는 하늘에 어떤 사람이 있을까, 우리 먹는 것하고 똑같은 것을 먹을까하고 어렸을 때 상상하곤 하였다.

후에 이모(어머니의 언니)를 통해 어머니의 말과 행동에 대해서 듣게 되었는데, 김일성이 예수 믿는 사람들을 다 죽이고 핍박을 하니까 네 어머니는 친척과 가족에게 해가 될까 봐 예수를 믿는다고 자녀들에게 말하지 못했지만, 어머니는 예수 믿는 사람 중에서도 정말 잘 믿는 믿음이 좋은 사람으로 살았었다. 어머니는 비록 교회가 없어서 다니지도 못하였지만 신앙의 양심을 버리지 않고 살았던 사람이라고 말씀해 주셨다.

어머니의 형제는 5남매인데 제일 큰 외삼촌은 항일 투쟁하다가 희생되었고 그 밑으로 이모와 외삼촌이 있는데, 세 번째 외삼촌이 대학교수하다가 강의 시간에 발언한 내용이 문제가 되어 정치범 수용소에서 사망했다. 어디로 갔는지 정확히는 모르지만 잡혀간 지 10년이 지나서 어떤 분들이 와서 요덕수용소에서 죽었다고 전해 주는 이야기를 들었다. 넷째는 어머니이고, 제일 막내가 외삼촌이신데 지금은 중국 S지역 교회에서 중직자로 섬기고 있다.

신앙의 부모 밑에서 자라며

B 자매의 어머니는 독실한 기독교인이었다. 그러나 어렸을 때는 그러한 사실을 전혀 몰랐다. 어머니가 새벽마다 부엌에 나가서 딸 축복한다면서 중얼중얼 혼잣말을 하였다. 처음에는 추운데 집에 누가 왔나 하고 어간문을 열어보았지만 어머니 혼자였다. 그리고 물을 마시고 싶어서 부엌에 들어가면 어머니가 중얼거리시다가 그치셨다. 그러다 물을 다 마시고 나가면 어머니는 다시 혼자서 무슨 말을 계속하셨다. 듣는 사람도 없는데 누구한테 이야기를 하나 이상하게 생각했었다.

B 자매는 어렸을 때 어머니와 동네 분들과의 대화를 이렇게 기억하고 있다.

> 그때는 전쟁 끝나고 과부들이 많았잖아요. 과부들이 우리 어머니한테 와서 눈물을 흘리면서 억울한 일을 당하고, 멸시받고 이런 거를 말하더라고요. 그러면 우리 어머니가 잘 듣고서는 사람한테는 말해서는 해결해 줄 수도 없고, 비밀을 지킨다고 하지만 나중에 남한테 다 폭로한다고 이야기하더라고요. 그러면서 하늘은 우리 생각도 다 알고 우리가 말하는 비밀 다 지켜주고 다 들어 준다. 그러니 억울한 일이 있고 울고 싶을 때는 하늘에 대고 혼자서 마음껏 울고 마음껏 하고 싶은 말을 다하라. 그러면 하늘은 다 들어주고 비밀도 다 지켜준다고 이런 말씀을 하시더라고요.

하루는 학교를 다녀와서 집에 들어갔는데 어머니가 동네 과부들, 할머니들과 함께 무슨 이야기를 하고 있었다. 그런데 문을 열고 들어갔더니 말을 돌리며 다른 이야기하는 것을 느꼈다. 무슨 말을 했는지 궁금했지만 알 수가 없었고 어머니는 어린 B 자매에게 밖에 빨리 나가서 놀라고 내보내셨다. 어머니는 동네 분들의 아픈 이야기도 들어 주고, 힘닿는 만큼 도와주고 위로하고 그랬다. 그래서 사람들이 어머니를 보고 "남을 위해 태어난 사람이다"라고 했다.

한국전쟁 중인 1951년경 중국에 사는 외할머니가 국경지역에 살고 있는 B 자매 집 식구들을 데리러 왔는데 그때 어머니는 아버지를 기다려야 한다며 B 자매와 동생만 외할머니 댁에 보냈다. 결국 할머니 손에 붙들려 중국에서 7년을 살며 공부하다가 1958년도에 다시 북한으로 들어오게 되었다. 당시 중국에는 북한의 고아들이 많았는데 이들은 중국학교에서 교육을 받은 것이 아니라 북한에서 교사를 파견하여 북한교과서로 교육을 한 후 1958년도에 단체로 귀국하였다. B 자매는 중국의 고아들과 단체로 입국하게 되었고 그때 어머니께서 찾으러 왔다.

B 자매의 북한에서의 성분은 기본 계급이었다. 아버지가 내과의사였고 전쟁 중에 군의관으로 있으시다가 전사해서 전사자 가족이지만 계급으로는 기본 계급 안에서 상위 계급으로 친정 성분은 좋은 편이었다. 어머니의 모습을 생각할 때 분명 신앙을 가지고 계셨으리라 생각되지만, 아버지는 신앙을 가지고 계셨는지 지금도 잘 모르겠다. 다만, B 자매가 어렸을 때 얼핏 숙모와 외숙모를 통해 들은 이야기는 아버지 가족들이 북한당국에 의해 처형되었고 큰 아버지를 가마니에 돌돌 말아서 지게에 지어서 깊은 산속에 갖다버려졌다고 이야기하는 것을 볼 때 혹시 아버지 쪽도 신앙이 있지 않았을까 생각해 볼 뿐이다.

어머니는 아버지에 대해서 이야기를 많이 해 주지 않았다. 한번은 어머니에게 우리는 왜 친척이 없냐고 물었다. 이때 어머니께서는 큰 아버지네 아들들이 있는데 똑똑해서 김일성종합대학에 들어갔다고 하셨다. 그리고 어느 날 말로만 들었던 사촌 오빠들이 B 자매 집에 찾아왔다. 그러나 어머니께서는 우리나라(북한)는 성분(계급) 때문에 고생을 하니까 누구하고 친척이라는 말도 하지 말고, 나라가 정리될 때까지 서로 모른 척하고 지내자고 말하며 돌려보냈다. 그리고 나선 다시는 사촌 오빠들을 만나보지 못했다.

주기도문을 우연히 접하다

B 자매의 남편이 감옥 안에서 죽고 나서 1997년에 어떤 여자를 우연히 알게 되었다. 그 여자는 한국 선교사로부터 조그만 종이에 깨알같이 써 놓은 기도문을 받았는데 한국 선교사가 기도문을 주면서 이것이 기도가 되고 하나님이 이것을 듣고 다 아시니 당신도 이대로 기도하라고 했다는 것이다. 그러면서 그 여자가 기도문을 B 자매에게 주면서 이것을 보고 외우고 기도하라고 하였다.

B 자매는 그때의 일을 회상하며 '지금 생각해 봐도 정말 하나님의 은혜였다'고 고백한다. 왜냐하면 북한에서 기도문을 받아서 외우는 경우를 찾기도 쉽지 않을 것이기 때문이다. 그러나 그 기도문을 외우는 데 어려움이 따랐다. 당시 노동신문에 실린 김일성의 연설 전문도 며칠 만에 다 외울 정도로 머리가 똑똑한 B 자매였지만 주기도문을 외우는 것이 조심스럽고 남몰래 봐야 했기 때문에 며칠의 시간이 걸려야 그 기도문을 모두 외울 수 있었다.

그 여자에게 받은 쪽지에 '주기도문'이라는 제목이 쓰여 있기에 주기도문으로 알고 외웠지만 사실 외우면서도 주기도문이 무엇인지 또 쓰여 있는 내용의 뜻이 무엇인지는 전혀 알 수 없었다. 그러다 탈북해서 중국 교회에 머물 때 성경책에 주기도문이 있는 것을 보고 깜짝 놀랐다. 그리고 '하늘에 계신 우리 아버지여'의 고백이 어머니께서 '하늘'이라고 늘 이야기했던 하늘에 계신 하나님임을 처음으로 깨달았다.

아들의 입을 통해 남편의 신앙을 처음 알게 되다

감옥에서 면회를 오라고 해서 아이들과 처음 면회를 갔다. 남편을 만나러 가는데 옥수수떡 조금밖에 가져갈 게 없어서 너무 미안해서 B 자매는 면회장에 들어가지 않고 아이들만 들여보냈다. 그래도 보위부에서 한 가족이니까 작은 방에서 가지고 온 음식을 같이 나눠 먹으라고 해 주고 그 자리를 피해 주었다고 한다. 남편이 아이들을 보면서 너희들이 굶어 죽은 줄 알았는데 아직 살아있어서 고맙다고 말하며 많이 울었다고 한다. 그러다가 아들 손을 상 밑으로 잡아당겨 잡고서는 손바닥에 다음과 같이 글을 썼다고 한다.

'너희가 이 땅에서 살아남는 길은 예수님을 잘 믿고 기도하는 길밖에는 없다.' 남쪽은 잘사는데 북쪽은 왜 못 사는지에 대해도 아이들에게 이야기했다. 예수님을 눈으로 볼 수는 없지만 확실히 살아계시고, 너희들이 울고 싶고 고통스러워 할 때마다 예수님께 기도하면 다 들어 주시고 응답하시니 기도하라고 했다. 그리고 만약 내가 살아서 나가지 못하면 꼭 북한을 떠나서 중국에 가서 교회를 찾아가라고 그러면서 도문 쪽 교회를 가서 KYI 장로님을 찾아가라고 교회를 찾아가면 예수님께서 너희 앞길을 다 열어 줄 거라고 그러한 말까지 했다.

면회가 끝나고 아들들이 놀라고 흥분되어 나왔는데 아버지가 '우리가 예수님 잘 믿고 기도하면 살아남을 수 있다'고 손바닥에 손가락으로 써 주면서 예수가 눈에 보이진 않지만 확실히 살아계시고 우리가 기도하면 다 들어 준다고 했다면서, 우리 아버지가 정말 정직하고 착한 분이니 우리 아버지가 믿는 예수도 좋은 분일 것이다, 우리도 기도하자고 아이들이 B 자매에게 말을 했다고 한다. 당시 아이들의 나이가 15－17세 정도였고 그때부터 아이들과 기도를 하길 시작했다.

남편이 죽기 전에 마지막 면회를 갔을 때 면회 장소 안에는 국가 보위부에서 온 간부와 동네에서 B 자매 가족을 담당하는 보위부원 두 명이 들어와 있었다. 면회실로 들어갔더니 남편의 원래 모습은 하나도 없고 터지고 멍들어 뼈만 앙상하게 남은 모습으로 초라하게 앉아 있었다. 남편에게 두부를 줬더니 두부는 1/3 정도 먹고 나머지는 B 자매에게 집에 돌아가며 먹으라고 하고선 가져갔던 두붓물을 입도 떼지 않고 다 마셨다. 그 모습이 B 자매가 남편을 본 마지막 모습이었다. 죽기 전에 한 번쯤은 다시 볼 줄 알았는데 며칠 있다가 생을 마감하였다는 소식을 접하게 되었다고 한다.

아이들을 통해서 남편의 신앙을 알았지만 마지막 면회 가운데서도 보위부원의 감시로 인해 남편과 신앙에 대한 이야기는 한마디도 하지 못했다. 딸은 1997년 5월 26세 혹은 27세의 나이로 굶어 죽었고 그 후 4개월 뒤 9월, 남편이 감옥에서 생을 마감하였다. 아이들에게 말한 남편의 유언도 있고, 남편과 딸을 잃은 이 땅(북한)에서는 더 이상 살아갈 소망을 못 느낀 B 자매는 탈북하기로 결심을 하게 되었다.

극심한 고문 속에서도 신앙을 지킨 김 목사 손자 K 형제

B 자매가 탈북하여 거주했던 중국교회에서는 탈북자들이 교회로 오면 미국에서 온 선교사를 도와 사역하는 남편의 비디오 영상을 보여 주었는데, 영상을 다 보고 나면 북한에도 이렇게 훌륭하게 예수를 믿고 살아가는 사람이 있으니 여러분(탈북자들)도 이 사람처럼 신앙을 갖고 잘 살라고 교육을 하고 가르친다. 교회 사람들이 말하길 'K 형제(B 자매의 남편)처럼 정직한 사람이 세상에 없다'고 칭찬하며 교회에서 중국 돈으로 300원씩 K 형제에게 장학금을 주었는데 그 돈으로 자신을 위해 쓰지 않고 '자신은 하나님이 먹여 주고 입혀 주고 재워 주니 이 돈은 필요 없습니다'라고 하면서 전부 다 헌금을 하였다고 말해 주었다. 남편은 탈북을 하여 중국에서 교회를 섬기며 피아노 반주도 하고, 성탄절 행사도 준비하며, 찬양인도까지 섬길 수 있는 것은 무엇이든 봉사하였다.

그런데 문제가 생겨 다시 남편은 북송을 당하게 되었다. 당시 남편에게 신학공부를 시키고 돌봐 주었던 K 목사가 있었다. 탈북자 문제로 일이 생겨 남편에게 중국 돈 5,000원을 주면서 이것을 쓰고 문제를 해결할 때까지 잠잠히 지내라고 했고 생활비로 쓰고 약 3,000원 정도가 남았는데, 그때 함께 신앙생활했던 그 교회 K 집사가 3,000원이 욕심이 나서 중국 공안에게 남편을 신고했고 중국 감옥에 있다가 보위부원에 의해 북송되었다. 남편이 미국 목사하고 한집에서 살다가 잡힌 것이어서 북한은 이를 안기부 첩자(간첩)로 간주하여 감옥에서 죽기까지 여섯 달 동안 심문하고 고문하였다. 미국 목사와 함께 있으면서 간첩질했다는 누명을 받아 고문당하면서도 남편은 감옥에서 복음을 전했다고 B 자매는 증언한다.

감방 안에 말 한마디 잘못해서 들어온 사람도 있고, 여러 가지 조건을 가지고 들어온 사람들이 있잖아요. 그 사람들 보니까 하나님도 모르고 저렇게 죽어 가는 것이 너무 불쌍한 거예요. 그러니까 실컷 고문을 당하고 자기 몸도 건사하지도 못하는 사람(남편)이 밤에는 간수들이 피곤해서 자니까 그때 기어다니면서 복음을 전했어요. '38선 금을 그어 남쪽은 농사도 잘되고 나무도 많은데 여기(북한)는 나무도 없고 농사도 안 되고 왜 이렇게 못살겠냐.... 남쪽에서는 대를 이어 하나님을 잘 섬기고 기도하는 사람들이 많고 신앙을 이어가고 있기 때문이다'라고 한 거예요. 여기서 살길은 예수님을 잘 믿고 기도하는 일밖에 없다. 예수님만이 해결할 수 있다고 그런 것도 이야기하고 그랬어요. 누가 그 안에서 아프면 가서 기도도 해 주고, 찬양도 불러 주고 그랬는가 봐요.... 감옥에서 썩은 옥수수밥을 컵 하나만큼 겨우 줘요. 그런데 그것도 다 나눠 줬다는 거예요. 그러다 사람들이 당신 먼저 죽겠다고 당신 먹으라고 하니까 나는 죽어도 원이 없다고 나는 죽어도 천국이 기다리고 있다고.... 하나님도 모르고 고생만하다가 지옥에 가겠냐고.... 나는 천국에 가서 하나님이랑 좋은 구경도 많이 하고 정말 맛있는 것도 많이 먹을 거라서 원이 없다고 그러면서 그 밥을 매

끼마다 그렇게 나눠 주는 거예요. 그러면서 자기는 녹나고 세균 많은 수돗물을 먹었대요. 그래서 사람들이 예수 믿는 사람들은 자기가 그렇게 배고파도 남을 위해 희생하는지 알았죠. 남편의 그러한 모습이 이 사람들 마음에 감동을 준 거예요. 그래서 감옥에 지하교회가 세워진 거죠.

그런데 그 안에 밀정이 있어서 "중국에서 온 사람이 미신을 믿으라고 우리한테 선전을 하고 있다"고 남편을 간수에게 신고를 했어요. 그러자 다시 고문을 하고 마지막에는 예수가 없다고 하면 목숨을 살려주겠다고 했는데, 남편은 "하나님 은혜로 예수님도 알고 내가 이렇게 천국소망도 알게 되었는데 내가 이 세상에서 며칠 더 살겠다고 예수님을 부인하겠냐. 나는 절대로 부인할 수 없다"고 말하며 버티다가 결국 감옥에서 순교하게 되었어요.

이러한 남편의 상황을 전혀 몰랐으나, 함께 감옥에 있던 사람이 이후 해명이 되어 출옥한 후, B 자매를 찾아가 이야기해 주어 알게 되었다.

손자 K 형제의 아내 B 자매도 감옥에서 남편처럼 전도의 삶을 살다

B 자매는 여러 번 탈북을 시도했다. 자매의 기억으로는 1998년, 2005년 그리고 2009년쯤에 최종 탈북에 성공하였다. 처음 탈북을 했다가 잡혀서 북송되었을 때는 감옥을 네 번이나 옮겨 가며 옥고를 치렀고, 두 번째 탈북하였다가 잡혀 북송되었을 때도 여러 번 감옥을 거치며 옥고를 치렀다. 감옥에 있을 때 B 자매는 남편이 감옥에서 어떻게 다른 이들에게 복음을 전하고 섬겼는지를 생각하며 B 자매 자신도 자신의 먹을 것을 감방동료에게 나누어 주며 남편의 길을 따라 전도의 삶을 살았다.

B 자매는 감옥에서 생활하며 하나님께서 이끄시는 은혜를 다음과 같이 고백한다.

먹을 것을 나눠 주고 다른 이들을 돌봐 주는 중에 기도를 하는데 감옥 안에서 전도하라는 하나님의 음성이 들렸다. '주님 여기는 감옥입니다. 내가 전도하다가 죽는 것은 괜찮은데 남편이 하지 못한 일을 내가 하겠다고 해 놓고 이곳에서 전도를 하다가 죽으면 어떡합니까?'라고 기도했다.

그러면서 계속 전도를 안 했더니 가슴이 점점 뜨거워져서 '주님 내가 순종하겠습니다. 그런데 어떻게 전도해야 할지 모르겠습니다. 사람들 속을 알지 모르고 어떻게 누구에게 전도합니까?'라고 기도하게 되었다. 그랬더니 어느 날 '저 사람과 저 사람을 전도해라'라고 말씀하시더라. 그런데 규율도 못 지키는 사람이 예수님을 영접할 수 있을까 생각이 들었는데 어찌되었든 그 사람이 화장실 들어갔을 때 따라 들어가서 사도행전 16장 31절 말씀으로 전도를 했다. 살아서 감옥에서 못나간다 하더라도 예수님 믿고 기도하면 구원을 받을 수 있다고, 예수님 안 믿고 죽어서도 고통받겠냐고 했더니, 이 사람이 고민하다가 눈물을 흘리면서 예수 믿고 이 고통을 견디어 내겠다고 하더라. 그렇게 해서 하나님이 이따금씩 한 사람 한 사람 짚어 주는 사람만 전도를 했다.

그 다음에는 예배를 드려야 하는데, 예배드릴 공간이 없었다. 성도들은 있는데 예배드릴 공간을 안 주면 어쩌느냐고 기도했더니, 주님이 '저 변소가 있지 않느냐'라고 말씀하셨다. 더러운 곳에서 예배를 어찌 드릴 수 있을까? 하고 생각했지만 생각해 보니 누구도 변소는 신경을 안 쓰고 가장 안전한 곳이었다. 그래서 주일날은 모두 변소에서 조용히 예배를 드렸다. 한 사람은 망을 보면서 이런 상황 속에서 이러한 믿음을 갖게 하심에 감사하며 믿음을 지킬 수 있었다.

그리고 비오는 날이면 비가 오는 것이 힘들다고 기도를 했더니 하나님께서 '그럴 때는 찬송을 불러라'라는 음성이 들렸다. 생각해 보니 비가 오고 눈이 올 때는 내가 있는 곳에 아무도 안 와서 마음 편히 소리 내서 찬송을 부를 수 있었다. 465장 '주와 같이 길 가는 것'을 춤을 추며 부르기도 했다. 그렇게 찬양을 하고 나서는 비오는 날을 기다리게 되었다.

하나님의 은혜로 감옥에서 출감하고 다시 탈북하면서 '하나님 내가 무엇을 하든 어느 나라이든 나를 필요로 하는 곳에서 하나님께서 주신 사명을 감당하겠습니다'라고 기도하며 중국 동북지역에서 메콩강까지 일주일 만에 갔다. 메콩강에서는 찬송을 불러도 나를 잡아갈 사람이 없다는 생각에 인근국가에 도착할 때까지 배 안에서 목이 쉬도록 찬양을 불렀다.

3. 조그련 2대 위원장 김성률 목사 가족

정치와 밀착된 종교활동

K 자매의 할아버지는 북한에서 조선그리스도교연맹 2대 위원장으로 활동한 故김성률 목사이다. 조선그리스도연맹은 공식적으로는 그리스도교인들의 권리와 이익을 옹호하며 그들의 신앙생활을 지도하기 위해 설립된 초교파적인 그리스도교 조직이라고 선전하고 있다. 하지만 실제는 대외적으로 북한이 종교의 자유를 인정하고 있다고 선전하기 위해 설립한 관변 기독교인 조직이다. 해방 후 김일성이 강양욱 목사에게 '기독교인들 속에서 애국주의 교양을 잘하여 그들이 미국에 대한 환상에서 깨어나도록 교양단체를 하나 내오는 것이 좋겠다'고 지시하였고, 이에 따라 1년여의 준비 끝에 1946년 11월 28일 「북조선기독교연맹」을 결성한 것이다. 이후 1974년 「조선기독교연맹」으로 개칭한 후, 1999년 2월경 「조선그리스도교연맹」으로 재개칭하여 활동 중이다. 위원장으로는 초대 강양욱과 2대 김성률, 3대 강영섭(강양욱의 아들)에 이어 현재는 강명철

이 위원장으로 활동하고 있다.

북한은 조선그리스도교연맹이 "그리스도교인들의 신앙의 자유와 민주주의적 권리를 옹호하며 공화국정부의 정당정책을 높이 받들고 나라의 융성번영을 위하여 조국의 자주적 평화통일을 위하여 세계의 공고한 평화를 위하여 투쟁하는 것을 기본 사명으로 하고 있다"라고 밝히고 있다. 또한 이 단체가 선전하는 설립목적을 보면 기독교인의 권리와 자유 보호, 사회단체와 정당과의 친교, 국가의 번영과 발전 참여, 조국통일에 복무, 세계평화와 정의를 위해 일하는 전 세계 모든 개인 및 단체와 접촉, 가정교회를 위한 지도자 양성 등이다. 이를 종합하여 보면 조선그리스도교연맹이 기독교 단체의 목적보다는 조선노동당의 외곽 전위단체로 정치적 목적을 더 크게 함양하고 있음을 알 수 있다.

북한은 그동안 남한 및 해외동포 종교인들과의 통일전선 구축과 대외 개방 및 해외 이미지 개선을 위해 종교를 적극적으로 활용해 왔는데, 조선그리스도교연맹은 남한의 기독교 영향력과 미국 등 서방세계의 기독교 영향력이 크다는 것을 알고 이들에게 접근하여 경제적인 지원과 교류를 얻어내는 가교역할에 주로 활용되고 있다.[1] 이렇게 이중적인 모습을 가지고 있는 조선그리스도교연맹이기에 위원장도 순수 종교인이라기보다는 정치인에 가깝다고 할 수 있다. K 자매도 할아버지에 대해서 이렇게 회고한다.

> 할아버지는 고창군(현 김형직군) 월탄리가 고향이세요. 태어난 것은 고창인데 너무 살기 어려워서 후창에 내려가셨어요. 일제강점기 때는 신의주에서 학생운동에 동참하기도 하셨어요. 그곳에서 하나님을 영접하고 신앙심이 조금 생겼던 것 같아요. 그리고 그곳에서 인맥도 많이 쌓았던 것 같고요. 하지만 우리 할아버지가 북

---

1) "한민족문화대백과", <한국학중앙연구원>, <http://encykorea.aks.ac.kr/Contents/Index>(접속일: 2017.10.12.).

한의 기독교 연맹의 위원장을 한 것은 신앙심이 있어서 한 것은 아니에요. 김일성이 우리 할아버지를 평양시 인민위원회 위원장으로 추천을 해서 간부 등용을 해서 쓰려고 하니까 해외에 친구가 많고 파워가 있어서 기독교 연맹 위원장으로 선출했던 것 같아요.

공식적으로 예배를 드릴 수 있었던 할아버지 집

북한은 기독교를 탄압하는 국가로 기독교의 신앙을 가지고 있는 사람은 투옥하거나 처형하고 추방시켰다. 그러면서 동시에 공식적으로 기독교 조직을 만들었던 것이다. 이것은 추방을 당하거나 투옥을 당하기도 하고 심하게는 처형을 당하기도 했던 기독교인도 있었고, 반대로 공식적으로 인정을 받으며 신앙생활을 했던 기독교인도 있었다는 것을 의미한다. K 자매는 공식적으로 기독교를 인정받았던 할아버지 집에 대한 기억을 이렇게 회고한다.

공식적으로 할아버지 집은 예배를 드릴 수 있었던 곳이었어요. 할아버지 집은 1층이 전부 예배실이었고, 예수님에 대한 모든 것이 다 있었어요. 그래서 할아버지 집에 가면 교회인지 집인지 알쏭달쏭 했었어요. 누구든 할아버지 집에 방문을 하면 예배를 드렸어요. 외국인이 방문해서 예배드리던 모습도 기억이 납니다. 할아버지는 거기서 나오는 헌금을 꼬박꼬박 당에다 상납했던 것 같아요. 할아버지는 집에 있는 모든 것이 선전용이라고 했어요. 세계적으로 기독교 인구가 많고, 북쪽에도 기독교인이 많기 때문에 그들을 포섭하기 위함이라고 설명도 해 주셨어요.

기독교가 억압받았던 시대였으나 할아버지와 할머니는 편하게 신앙생활을 한 것 같다. K 자매의 할머니는 이화여대 출신으로 늘 성경책을 읽고 있는 모습을 당당히 보여 줄 수 있었다. 눈치 볼 필요도 없었고, 두려움에 떨 필요도 없었다. 하지만 안타깝게도 신앙의 전수는 없었다. 신앙에 관한 이야기도 전혀 들려주지 않았다. K 자매는 성경책을 읽고 있는 할머니에게 본인도 그 책을 읽어보고 싶다고 했을 때 단호하게 거절 당했다. 사랑하고 배려하라고 쓰여 있다는 알 수 없는 이야기만 하고는 성경책을 직접 보여 주지는 않았다. 실제로 신앙을 전하려는 시도 자체를 하지 않았던 것으로 보인다.

자녀들이 조그련 사업을 이어가길 원했던 할아버지

잡초를 온실 속에 넣어두면 잡초로서의 강인함은 조금씩 사그라들 수밖에 없는 것이 현실이다. K 자매 할아버지의 관심사는 다른 곳에 있었다. 가족 중에 누군가가 자기 뒤를 이어서 이 사업을 계속 이어갔으면 하는 것이었다. 김 목사는 K 자매의 아버지인 아들에게 조선그리스도교연맹과 관련한 일을 하면서 신앙을 유지하기를 바랐다. 그러나 아들은 이를 완강히 거부하여 결국 할아버지 김 목사는 그 뜻을 이루지 못했다. 아들의 입장에서는 사회적 지위나 신분이 형편없는 기독교 관련 직종에 종사한다는 것이 받아들이기 어려운 일이었을 것이다. 결국 경제 관련 쪽으로 진출하여 활동하였다.

K 자매의 할아버지는 기독교 관련 일을 손자에게라도 이어가고 싶어 했다. 김일성종합대학에 종교학부가 생기면서 K 자매 동생에게 그곳에 입학하여 자기 사업을 이어가라고 권유했다. 하지만 K 자매의 외할머니가 결사반대하여 무산되었다. K 자매의 할아버지와 할머니는 마음껏 예배를 드리고 마음껏 성경책을 읽을 수 있는 환경에서 지냈지만 외할머니 쪽 가족은 예수님을 믿는다는 이유만으로 배 속의 아이까지 전부 죽임을 당하는 환경 속에서 지냈기 때문이었다. 그 두려움이 너무 커서 자기 손자가 공식적으로 종교조직을 운영한다 해도 언제 죽임을 당할지 모른다고 생각했던 것이다. 이것은 K 자매의 할아버지 말고는 모두 동

감하는 것이었다. 어느 순간 어떻게 될지 모른다는 것이다. 온실 속에 들어간 잡초라 편하지만 어딘가 모르게 어색하고 불안했던 것 같다. 온실 속은 편해 보이지만 사실 갇혀 있는 것이나 다름없기에 어쩔 수 없는 현실이었다. 편하지만 갇혀 있는 시대적 상황에 불안해하면서 신앙을 이어갔던 것 같다. 이러한 불안함은 집 안의 모습과 밖의 모습이 대조적인 것으로 나타났다. K 자매는 할아버지 댁에 있을 때와 밖에 있을 때를 이렇게 회고했다.

> 할아버지는 우리 앞에서 전혀 신앙교육을 하지 않으셨어요. 부모님과 이야기할 때도 몰래 이야기했지 절대 우리에게는 말하는 법이 없었어요. 그러나 할아버지 집에 가면 신앙생활이 철저했어요. 할아버지 집에 가면 새벽에 일어나 새벽기도회를 했어요. 새벽인데도 할머니께서 피아노를 치셨던 기억이 있어요. 아마 1978년도인가 1980년도인가 그랬던 것 같아요.

이러한 신앙생활이 가능했던 것은 북한에서 공식적으로 가정예배를 허용했기 때문으로 보인다. 그때만 해도 봉수교회나 칠골교회처럼 예배당이 있지 않았기 때문에 할아버지 집이 공식적인 예배장소였을 것이다. 그렇게 집 안에서는 새벽예배를 드릴 정도로 열심이었지만 밖에서는 신앙을 전하지 못하고 함구하며 살았던 이중적인 모습으로 신앙생활을 하고 있었던 것이다.

누구에게 보이려고 신앙생활하는 사람은 없다

보통은 이러한 종교기관을 어용단체라 하여 정부가 주도하고 조직하여 정부에 영합하여 행동하는 단체로 인식하기 때문에 종교로서의 역할을 하지 못할 것으로 여긴다. 그렇기 때문에 북한에 있는 조선그리스도연맹이라는 기독교 조직과 봉수교회와 칠골교회라는 교회의 존재를 인정할 것인지 아닐 것인지에 대한 의견이 갑론을박이다. 어떤 주장이 맞는다고 이야기하기는 어렵지만 주목해야 할 것은 기독교가 탄압받고 있는 나라에 어떤 식으로든 인정받는 교회와 조직이 있다는 것이다. 그곳에서는 예배를 드릴 수 있고 성경책을 마음껏 볼 수 있다. 그렇다면 복음의 씨앗이 뿌려질 수 있는 조건이 형성된 것으로 볼 수 있지 않을까. K 자매도 할아버지나 할머니께서 신앙이 아예 없이 가짜로 예배드리는 것은 아닌 것 같다고 이야기를 했다. 신앙이 없었다면 그렇게까지 열심히 했을까 싶다는 것이다. 어린 나이의 기억에도 누구에게 보여 주기 위한 신앙생활은 아니었다. 할아버지와 할머니가 새벽에 기도하는 모습은 진실한 모습이었다. 할아버지 집에 갔을 때 할머니께서 불러 주신 자장가는 항상 '고요한 밤 거룩한 밤'이었다. 굳이 그렇게 할 필요가 있었을까. 그때는 무슨 노래인지 알지 못했지만 남한에 와서 알게 되었다.

K 자매의 아버지는 신앙에 대해서 자주 이야기하지는 않았다. 하지만 이따금씩 성경책을 보셨고, 그럴 때면 가족들에게 이 책을 보면 사람이 올바르게 정직하게 살라고 쓰여 있다고 이야기를 했다. K 자매의 어머니 역시 신앙에 대해서는 자주 이야기하지 않았다. 할아버지 할머니야 당에서 공식적으로 신앙생활을 인정받았다고는 하지만 아버지 어머니는 아니었기 때문이다. K 자매의 어머니는 부모 앞에서도 비밀을 말하지 말라고 할 정도로 두려움에 사로잡혀 살았다. 신앙에 대한 이야기를 하다가 걸리기라도 하면 다른 사람들과 마찬가지로 추방당하고 투옥당하며 죽임을 당할 수도 있었기 때문이었다. 자식들 잘못될까 노심초사하는 부모의 마음이었다. 하지만 온실 안에 있어도 잡초는 잡초다. 이따금씩 성경에 대해서 이야기를 해 주셨다. 하나님을 믿는 것이 나쁜 것은 아니기에 부모가 자녀에게 이야기는 해 주는 것이 당연하지만 현실은 너무 힘들었기에 어쩔 수 없이 자주 이야기할 수 없었던 것 같다. K 자매의

외할머니는 '헛아버지 밑에서 살 때보다 좋은 아버지 밑에서 사는 것이 더 고달프다'고 말했다고 한다. 차라리 그나마 신앙생활을 할 수는 있었던 일제강점기 시대가 좋았다는 뜻이다. 김일성 시대는 신앙생활이 너무 힘들다는 것이었다. 그러니 정신 차리며 살아야 했다. 하나님 믿었다가 목숨을 잃을 수 있었기 때문에 조심 또 조심해야만 했다.

하지만 그렇다고 함구해지지 않는 것이 복음의 생명력이 아닌가! 북한은 가정교육이 이루어지기 힘든 구조이지만 K 자매의 부모는 하나님을 믿었기 때문에 가끔씩 신앙에 대한 이야기로 가정교육을 하였다. 이러한 영향이었을까? K 자매는 북한에서 1994년도에 우연히 남한의 방송을 듣게 되면서 신앙을 가지게 되었다. 어머니에게 이 사실을 알리자 어머니는 심히 걱정하면서도 본인도 신앙이 있음을 고백했다. K 자매는 그때 어머니의 말씀을 기억하고 있었다.

제가 극동방송을 듣고 신앙을 갖게 되어 부모님께 말씀드렸더니 아버지께서는 큰일 날 소리라면서 어디 가서 절대로 말하지 말라고 했어요. 어머니는 나를 앉혀 놓고 이렇게 말씀하셨어요. "다 너처럼 신앙생활한다고 이야기하지 않는다. 할 줄 몰라서 안 하는 게 아니야. 엄마도 다 알고 있어. 알고 있지만 마음속으로 믿고, 마음속으로 말하지. 너처럼 겉으로 하지 않아. 입으로 시인하는 것도 중요하지만 마음으로 믿고 실천해 나가는 것이 더 중요한 거란다. 그렇게 살아야 한다."

K 자매는 부모님이 신앙을 가지고 있다는 것을 확신하게 되면서 남한방송을 더 열심히 들었다. 자정부터 새벽 5시까지 남한방송이 제일 잘 들리는데, 하루 중에 그 시간만 기다렸다고 한다. 이렇게 열심히 라디오를 듣는 K 자매가 말조심을 못하고 어떻게 될까 걱정하는 마음에 부모님은 라디오를 부셔버렸다. 온실 속은 편한 듯 보였지만 결국 갇혀 있는

것이나 마찬가지였다. 그래서 잡초는 온실 속이지만 감시당하고 억압당했다. 잡초인 것을 부인할 수는 없었지만 온실 속에서 살아가려면 어쩔 수 없었기에 라디오를 부셔버렸던 것이다.

제4장

장로 가족 이야기

1. 이기백 장로 가족

새벽기도, 성수주일에 철저했던 이기백 장로

L 자매는 故이기백 장로의 딸이다. 故이기백 장로는 1907년 평안북도 선천군 선천면 목수대교회 영수[2])의 아들로 출생하였다. 기독교 집안에서 태어났기 때문에 유년주일학교에 다니게 되었고 어릴 때부터 신앙이 투철하여 친구들을 많이 전도하여 목수대교회 유년주일학교에는 어린이들이 항상 많이 있었다. 유난히 영리했던 그는 15살 때 평양고등보통학교(평양고보)에 당당히 합격했다. 당시 평양고보는 서울에 있는 경기고등보통학교 다음으로 유명한 학교였다. 그는 1927년 3월에 졸업하

---

2) 우리나라 선교 초기 장로교회의 평신도 직분 중에 하나, 조사를 돕고 교회를 돌보기 위해 신설된 직분이다. 한국교회 최초의 영수는 1894년 마포삼열 선교사가 임명한 평양 장대현교회의 이영언으로 추정된다. 당시 총회회의록에 의하면 "영수는 투표로 택하고 기한을 정해 당회가 임무를 부여한다"고 되어 있다. 초대 한국교회 발전에 영수가 끼친 공헌은 지대하나 교회가 조직화되면서 점점 그 직분은 사라져 1950년대 후반에는 완전히 자취를 감추게 되었다.

여 중앙무진회사에 취직하였고 신의주 지점에 발령을 받게 되어 하숙방을 얻어 그곳에서 머물면서 신의주동부교회에 출석하였다. 당시 신의주 동부교회는 김제근전도사가 시무를 하고 있었는데 열정적으로 설교하는 모습에 은혜를 받아 즉시 교회에 등록하였다고 한다.

그는 바쁜 직장생활 속에서도 새벽기도회에 열심히 출석하였다. 그가 기도하는 모습에 감동을 받은 G 전도사가 1932년 1월 당회장의 허락을 받고 그에게 세례를 주고 서리집사로 임명하였다. 그는 직분을 받았기에 더 열심히 신앙에 매진해야 한다면서 신의주 기독교 서점에 나가 쪽복음을 매입하여 주변 사람들에게 나누어 주기도 하였고, 혼자만 교회에 출석을 하는 것이 아니라 꼭 새 신자와 함께 하여 그들을 정착시켜 신앙에 매진할 수 있도록 길을 열어 주는 일에 열심이 있었다. 이렇게 신앙생활을 했던 그는 1938년 4월 공동의회 중 장로를 선출하는 투표에서 뜻밖에 많은 표를 얻어 신의주 D교회 피택장로가 되었다. 피택장로가 된 후에는 신앙생활에 지장이 있다면서 회사의 간부직을 사임하고 신의주 번화가에서 철물도매상을 시작하였다. 장사가 잘되었지만 주일만은 문을 걸어 잠그고 "주일은 하나님의 날이기 때문에 휴무를 합니다"라는 글을 써 붙였다. 이 글을 본 사람들은 그를 진실한 기독교인으로 알고 평일에 더 많이 드나들었다고 한다.

신의주 D교회는 매년 교인들이 증가했지만 일제의 탄압에 의해 1943년 12월 해산하였고, 이 일로 인하여 그는 신의주 제2교회에 출석하게 되었다. 이 교회는 故한경직 목사가 재직하고 있었던 교회다. 하나님의 은혜로 1945년 8월 15일 해방을 맞이하게 되었고, 문을 닫았던 교회들이 문을 열게 되어 신의주 D교회도 다시 모임을 가질 수 있게 되었다. 그러나 그것도 잠시 김일성 정권이 38도 이북을 점령하면서 일제시대보다 더 심한 탄압이 몰려왔다. 이 무렵 조만식 장로가 중심이 되어 기독교조선민주당을 창립하였고, 강양욱 목사를 위원장으로 하는 조선기독교도연맹이 조직되었다. 조선기독교연맹에서 이기백 장로를 회유하였으나 그는 이 제안을 거절하였다. 이 일로 수시로 감시를 받는 처지가 되어 평양에 머물 수 없게 되었고, 1945년 말 황해도로 내려와 피신 겸 요양을 하였다. 하지만 그곳에서도 복음을 전하면서 지냈다.[3] 이때를 L 자매는 이렇게 회고하고 있다.

> 어릴 적 황해남도 해주에 ○○○이라는 곳에서 살았던 기억이 나요. 그때 당시 교회 사람들이 우리 집으로 많이 왔었어요. 평양에서 해주로 온 거예요. 제가 어렸을 때인데 약밥 같은 것을 해서 아버지를 찾아왔던 것 같아요. 그런데 아버지는 숨어 다니다시피 하셨기 때문에 함께 살지 못했어요. 전쟁이 끝나고 나서야 아버지를 만날 수 있었어요. 아버지를 만나서 다시 평양으로 가서 살았어요. 평양에서 초등학교랑 중학교까지 다녔어요. 중학교 다니던 중에 추방된 거예요.

1959년 9월 온성으로 추방

이후에 6.25전쟁이 일어났고 황해도는 공산화가 되었다. 전쟁 중에 영락교회 故한경직 목사가 그를 남쪽으로 데려가려고 사람들을 보냈지만 그는 가족들이 위험하기 때문에 가족들을 버리고 따라갈 수 없다고 거절하고 그냥 돌려보냈다고 했다. 전쟁 중에는 해주에 있으면서 신앙생활을 계속할 수 있었지만 정전 이후에 다시 평양으로 돌아가게 되면서 신앙생활을 이어가기 쉽지 않았다. 게다가 평양에서는 성분이 좋은 사람들만 살 수 있게 하려고 조금이라도 이상이 있는 사람들은 추방하기 시작했다. 그래서 평양으로 온 지 얼마 지나지 않아 1959년 9월쯤에 함경

---

3) "255. 황해도 도지사를 역임한 이기백장로", <한국장로신문>, 2015.05.23.
   <http://jangro.kr/Jmissions/detail.htm?aid=1432186887>(접속일: 2017.
   10.12.).

북도 온성지역으로 추방당한 것이다.

객차도 타지 못해 짐차에 실려 추방당했다. 그때 당시 온성이라는 곳은 사람도 없는 곳이었고, 농사지을 만한 형편도 안 되는 곳이었다. 농촌마을이 있었지만 집이 거의 없었다. 그래서 먼저 살고 있는 사람 집 옷 방에 살게 되었다. 땔감이 없어서 매일 산으로 나무를 하러 다녀야 했다. 거주이전의 자유가 없기 때문에 도망을 갈 수도 없었다. 그렇게 어디로 가지도 못하고 비루한 삶을 살게 되었다. 그렇게 평양에서 추방되어서 온 사람들이 많아지면서 그곳을 작은 평양이라고 부르기 시작했다. 대부분 그저 기독교 생활을 했기 때문에 추방당한 사람들이었다. 신앙을 가지는 것이 큰 죄인 양 추방되어 온 사람들은 사람 취급을 받지 못했다. 게다가 추방당한 곳에서도 감시를 당했다. 집에 울타리가 있는 것은 당연하지만 울타리를 세우면 숨어서 간첩질을 한다며 울타리를 모두 없애버릴 정도였다. 앞길도 모두 막혔다. 학교를 졸업해도 좋은 상급학교로의 진학이 어려웠고, 결혼을 하려고 해도 성분이 좋지 않아 결혼도 어려웠다. 게다가 좋은 일자리가 있어도 성분 때문에 취직이 어려웠다. 이렇게 원망이 가득할 만한 삶 속에서 L 자매의 아버지 故이기백 장로의 삶은 L 자매에게 이렇게 보여졌다.

아버지는 기독교인이어서 술과 담배를 하지 않으셨어요. 그래서 오래 사셨던 것 같아요. 게다가 하나님을 믿기에 마음이 항상 선량하셨어요. 그래서 법 없이도 살 사람이라고 동네에서 소문이 났어요. 우리 아버지는 웅변도 좋고 글도 잘 썼어요. 아버지께서 고학으로 공부도 많이 하셨고요. 5개 나라 말을 하니까 청년들을 가르쳐 주고 그러셨어요. 어릴 적 기억에는 조선복 입고 설교하셨던 것 같아요. 바지저고리에 두루마기 입고 멋있게 설교하셨어요.

새벽마다 기도하던 아버지, 어머니

정전 이후 평양에서는 신앙생활이 어려운 상황이었다. 추방당한 온성도 매한가지였다. 아니 더 심한 감시와 억압이 있었다. 그래서였을까. L 자매는 어린 시절 신앙교육을 받았던 기억은 없었다. 대신 부모들의 모습 속에서 자신도 모르게 신앙을 배웠던 것 같다고 회고했다. L 자매의 어머니는 늘 흥얼흥얼 어떤 노래를 부르셨다고 했다. 어떤 노래였는지 몰랐지만 그 곡조를 L 자매는 한국에 와서 듣게 되었다. '내 주를 가까이 하게 함은 십자가 짐 같은 고생이나 내 일생 소원은 늘 찬송하면서 주께 더 나가기 원합니다.' 이 찬송은 L 자매의 아버지도 함께 흥얼거리던 것이었다. 새벽마다 일찍 일어나셔서 기도하셨던 두 분의 모습은 자녀들에게 의아한 모습이었다.

부모들은 자식들의 앞날이 걱정되어 자녀들에게 직접적으로 신앙을 전하지 못했다. 집에서 성경책이 발견만 되어도 그 집은 정치범 수용소로 끌려가는 무시무시한 종교말살정책이 있었기 때문이다. L 자매도 평양에서는 성경책을 본 적이 있지만 온성에 와서는 성경책을 보지 못했다. 자식 생각하는 부모의 마음을 어찌 헤아리지 못하랴. 장로였음에도 불구하고 철저한 감시와 억압 속에서 어떻게 할 수 없었던 것 같았다. 하지만 그 신앙이 어디가랴. 일요일마다 일을 안 하는 아버지를 보며 어머니의 푸념을 기억하는 L 자매의 회고는 가슴을 찡하게 했다. 신앙을 전할 수 없는 상황이었지만 부모들의 삶 속에서는 여전히 그리스도의 향기가 진동을 했기에 흥얼흥얼 일상의 찬양 속에서 새벽마다 기도하는 모습을 통해서 그리고 매 주일마다 전해졌으리라.

아버지가 전해 준 신앙

유년시절을 지나 L 자매가 성인이 된 이후 아버지의 태도는 달라졌다. 신앙에 대한 이야기를 꺼내기 시작한 것이다. 성경에 대한 이야기도

해 주셨다. 그리고 마을 사람들과 함께 모여 예배를 드리기 시작했다. 그중에는 멀리서 오시는 분들도 있었다. L 자매도 참석할 수 있었다. 밟혀버린 신앙이었지만 역설적으로 뿌리 뻗는 신앙이었다. 겉으로 드러나는 신앙은 아니었지만 그들의 가슴속에 뿌리 뻗고 있는 신앙이 움직이기 시작한 것이다. 그렇게 힘든 추방지에서의 생활을 뒤로하고 L 자매 아버지는 먼저 세상을 떠났다. L 자매 아버지의 장례식에서 가슴속에 뿌리 뻗어 있던 신앙의 모습을 보게 된 L 자매는 그때를 이렇게 회고했다.

> 아버지 장례식 때 많은 사람들이 오셔서 예배를 드렸어요. 그리고 그때 울려 퍼진 찬송소리를 듣고 옆에 있는 집에서도 그 찬송을 따라 부르는 소리를 들었던 것 같아요. '며칠 후 며칠 후 요단강 건너가 만나리, 며칠 후 며칠 후 요단강 건너가 만나리.'

한국교회사에서 故이기백 장로는 공산당에 체포되어 1951년도에 순교한 것으로 기록하고 있으며, 이 일로 인해 그의 시신을 찾을 길이 없다고 안타까워하고 있었다.[4] 그러나 딸 L 자매의 증언에 의하면 그는 온성으로 추방당한 후, 1993년까지 살다가 84세의 나이로 생을 마감하였다. L 자매는 아버지의 삶을 회고하며 안타까움을 금할 길이 없다며 한숨을 내쉬었다. 아버지께서 그렇게 하나님을 열심히 믿고, 신앙생활도 잘하셨는데 하나님께서 너무 모른 척 내버려두시는 것이 아닌가 하는 푸념이었다. 하나님을 믿으면 하나님께서 도와주셔야 하는 것이 아닌가? 아버지께서 일찍이 남한에 오셨다면 귀하게 쓰임받으셨을 것을 하나님께서 그냥 내버려두셔서 북쪽에서 고생만 했다며 안타까워했다. 이러한 쓰라린 신앙인의 삶을 목도한 L 자매의 신앙은 그 깊이가 남다를 것이다.

---

4) "255. 황해도 도지사를 역임한 이기백장로", <한국장로신문>, 2015.05.23. <http://jangro.kr/Jmissions/detail.htm?aid=1432186887> (접속일: 2017. 10.12.).

2. 함남 H지역 문 장로 가족

외할아버지, 할머니, 아버지 모두 신실한 신앙인

Y 자매는 2017년 인터뷰할 당시 70세로 분단역사의 시간에서는 2세대에 속하지만 이 책이 조명하는 신앙의 계보에서는 3세대로 설명한다. 3대를 거슬러 올라가면, 외할아버지와 친할머니 모두 신실한 기독교인이다. 외할아버지는 어느 정도의 재산과 땅을 가졌던 지주였고 교회 장로였다. 당시 외할아버지는 장로였지만 지금의 목사와 같은 위치에서 목회를 감당했다고 한다. 교회를 세우고 교회를 통해서 불쌍한 아이들을 모아 밥을 먹이고, 옷을 입히고, 예배도 드렸다. 그러나 Y 자매는 외할아버지가 '문'씨였다는 것 정도만 알 뿐 이름조차 기억하지 못한다.

사실, 외할아버지의 이름을 기억하지 못하는 것뿐만 아니라, 어렸을 때에는 가족에 관해 아무것도 몰랐다. 부모를 일찍 여의고 할머니와 함께 지냈는데, 할머니가 가족에 관한 이야기를 거의 해 주지 않았기 때문이다. 어렸을 때의 기억으로는 부모님이 일찍 돌아가셔서 평양에 살고 있던 고모가 함흥에 살고 있던 Y 자매의 삼남매를 키우겠다고 함흥으로 내려와 아이들을 데리고 15일이나 걸려서 평양으로 왔다. 고향은 함흥이지만 큰고모를 따라 평양에서 살았고 큰고모가 우리 삼남매를 키웠다. 큰고모 댁에서 사는 동안 할머니와 함께 지내며 자란 덕에 친할머니에 대한 기억은 비교적 생생하다.

훗날 남한에 와서 Y 자매의 가족을 잘 아는 YS라는 분을 만나 가족에 관해 들을 기회가 있었는데, 그분의 말에 의하면, 친할머니가 부모도 못 보고 자라는 Y 자매가 불쌍하니 가정형편에 대한 것을 이야기해 주지 않았다는 것이다. Y 자매가 늘 우울해하고, 자신감이 없고, 죄 없이 부모를 보지 못하고 사는 것이 가슴 아파서 가정 이야기를 할머니가 하지 않았다는 것이다.

할머니는 하나님을 믿는 신실한 신앙인이었다. Y 자매의 친가와 외가 모두 독실한 기독교 집안이어서 기독교 집안끼리 결혼한 전형적인 경우다. 당시 기독교인이 많지 않은 터라 믿는 가족끼리 결혼하는 것은 쉽지 않았으나, 신실한 신앙인들은 믿는 집안끼리 자녀들을 결혼시키는 것을 믿음을 지키는 중요한 수단으로 생각하였다.

할머니를 따라 신앙의 길을 걷다

Y 자매는 부모님에 대한 기억이 거의 없이 큰고모 댁에서 주로 할머니의 보살핌을 받으며 살았다. 할머니도 Y 자매에게 부모님이 왜 돌아가셨는지, 어떻게 돌아가셨는지에 대해 전혀 말해 주지 않았기 때문에 부모님에 관해 잘 몰랐다. 9살이 되던 1956년 9월, 평양에서 학교에 입학했고 평범하게 살았다. 한국전쟁 이후 전쟁의 여파로 북한에 유치원이 없을 때 Y 자매는 1956년 학교에 입학하기 전까지 늘 할머니를 따라다녔다. 할머니가 유년시절 데리고 갔었던 교회와 예배의 모습을 Y 자매는 다음과 같이 기억한다.

우리 할머니하고 유년시절에 하나님을 믿었는데, 우리 할머니가 손을 잡고 저를 데리고 작은 집(초가집)에 들어가면 약 20명 정도 사람들이 둘러 모여 있었다. 그러면 어떤 중년분이(40-50대) 무슨 말씀을 하면, 우리 할머니가 무릎 꿇고 가만히 앉아 있으라고 했다. 그래서 가만히 앉아 있었는데 말씀을 한참 하고서는 중절모를 돌리니깐 우리 할머니가 그 중절모 안에 돈을 넣었다. 지금 생각하면 헌금을 그렇게 한 것이었다. 그렇게 하고 사람들이 두세 명이 빠져나갔고 밖에 울타리 안에 있던 어떤 아저씨가 나오라고 하면 사람들이 빠져나왔다. 이때가 약 1954-1955년쯤이었다.

할머니는 북한말로 대박 같은 책(성경)을 가지고 다녔는데 집에서 은밀하게 보관하셨다. 어느 날 할머니는 Y 자매에게 그 책을 헛간에 썩은 소나무 밑에 땅을 파고 보에 싸서 잘 보관해서 감춰야 한다고 하시면서 "다른 사람에게는 말하지 말아라. 말하면 우리 식구들 다 죽는다"고 말했다. 이렇게 할머니 밑에서 1956년 학교를 들어가기 전까지 Y 자매는 신앙의 유산을 전수받았다. 할머니가 부엌에서 나무를 씻는 일을 하면서 찬송을 부르셨는데, 그때는 무슨 노래인지 몰랐는데 남한에 와서 교회에 나가니 할머니께서 즐겨 부르셨던 노래(찬송)가 '예수 사랑하심은', '빛보다 더 밝은 천국', '요단강 건너' 등의 찬송이었다.

또한 삼남매를 가르치실 때 길에서 작은 연필 하나가 떨어져 있어도 가지고 오지 말고 자기의 것이 아니면 손대지 말라고 말씀하셨다. 그리고 거지들이 동냥을 오면 자신은 끼니를 굶을지라도 자신의 음식을 나누라고 가르치셨다. 그리고 항상 감사한 삶을 살라는 말씀 등 많은 것을 가르쳐 주셨는데, 그때는 단지 좋은 이야기라고 생각했는데 나중에 성경을 보니 할머니의 가르침이 성경에 근거했다는 것을 알게 되었다.

그러나 1956년 9월 학교에 입학하면서 할머니가 성경책을 땅에 묻는 것까지는 보았는데 그 후로 할머니와 함께 다녔던 예배의 자리는 한 번도 갈 수 없게 되었고 Y 자매의 가족은 이미 당국에 낙인이 찍혀 있어서 더 이상 신앙생활하기가 힘들었기에 이후로는 할머니께서 물려주신 신앙의 유산을 속으로만 간직하며 살았다고 고백한다.

산골마을로 추방

그러다 1960년 4월 접경지역 K지역과 인접한 백두산 자락 산골로 추방되었다. 할머니, 고모, 고모부, 고모 시어머니, 삼남매 모두가 량강도로 추방되어 갔다. 북한당국에서는 Y 자매 가족을 한통속으로 보았고 성분이 나빠서 쫓아 보낸다고 말했다. 추방당한 곳에는 평양처럼 학교가 있지 않아서 자신보다 고학년들과 함께 공부를 했다.

그곳에는 토박이 사람들과 추방되어 온 사람들이 있었는데, 토박이 사람들이 추방되어 온 사람을 못살게 굴었다. 추방되어 온 이들을 종파분자라고 하면서 이름을 부르지 않고 종파새끼라고 불리는 서러움을 견디어야 했다. 또한 단칸방에서 모든 가족이 같이 살았는데 밤에 자다가 화장실을 다녀오면 자리도 없어서 잠도 못 잘 정도의 그런 좁은 방에서 생활했다. 추방이라는 것이 감옥 같았다고 말한다. 그래도 추방된 곳에서도 먹고 살아야 하기에 할머니와 고모들은 벌목하는 곳에서 일했다.

시간이 흘러 Y 자매는 시집을 갔는데 남편도 성분이 나쁜 사람이었다. 왜냐면 성분이 좋은 사람을 만나 결혼을 하면 나중에 이혼을 당할 수 있어서 서로 성분이 좋지 않은 이들끼리 만나 결혼을 한다고 한다. Y 자매 부부와 같이 성분이 좋지 않은 이들에게는 4명 정도의 보위부 스파이가 감시를 하는데, 술을 좋아하던 남편에게 어떤 날은 술을 잔뜩 먹이고 취중에 말실수를 하게 하여 꼬투리를 잡으려 한 적도 있다.

H지역으로 이주, 남편 따라 온성으로

그래도 추방된 K지역에서 그리 오래 있지는 않았다. H지역에 양수장 같은 곳에서 일하던 오빠의 도움으로 법적 문건을 고쳐서 H지역으로 내려오게 되었다. 오빠와 언니는 결혼을 하여 H지역에 살고 Y 자매는 중매로 결혼을 하였는데 신랑 얼굴을 사진으로만 보고 결혼식에서 남편을 처음 만나 결혼하여 남편이 거주하는 온성으로 가서 살았다. 남편 집안도 성분이 안 좋은 집안이었다. 남편의 아버지가 보안학교(경찰학교)를 졸업하고 혜산의 안전부 부장으로 파견을 받게 되었는데, 당시 할아버지가 열병으로 곧 죽게 되어 임종을 지켜보고 가려던 중에 한국전쟁이 발발하게 되고 국군 치안대에 잡혀 치안대 서기 역할을 잠시 한 적이 있었는데 전쟁이 끝나고 남편의 아버지가 국군을 도와줬다는 것이 밝혀지고 어머니 쪽은 지주였다는 것이 알려지면서 온성으로 추방되었다. 이렇게 성분이 안 좋은 계급으로 전락한 남편을 만나 결혼하게 되었다. 남편을 만나 온성에서 1971년도부터 1998년도까지 27년을 살았고 아이를 넷을 낳았다.

남편은 김일성이 죽기 5개월(1994년 7월 8일 사망) 전인 1994년 2월 사망했는데, 그때 고난의 행군이 시작되었다. 남편이 세상을 떠나고 혼자서 아이 넷을 키우는 것이 너무 힘들어 큰 아들이 17살 되던 해에 군대에 보냈다. 사실 성분이 나빠서 군대를 보낼 수 없었지만 뇌물을 써서 군대를 보낼 수 있었다. 그러나 군대에서 3년 만에 영양실조로 죽게 되었고 아들이 죽은 지 8개월이 지나 죽었다는 소식을 듣게 되었다. 큰 아들은 1995년에 군에 입대해서 1997년 12월에 죽었다.

오빠의 죽음을 지켜보다

Y 자매의 오빠는 1980년 5월 보위부에 끌려가 죽임을 당한다. 1979년에 보위부가 동마다 한 개씩 생기게 되었는데 당에서 성분이 나쁜 이들을 수용소로 데리고 가서 죽이라는 지시가 내려와서 오빠를 끌고 가서 처형하였다. 오빠는 죄가 없었지만 Y 자매의 집안이 성분이 나쁘다는 죄질 문건이 보위부에 이미 많이 올라가 있었기에 보위부에서는 그 문건만을 보고 데려간 것이다. 그러면서 오빠에게 "너는 예수물을 먹고 자랐는데 너도 하나님을 믿고 그럴 거니깐 죽어야 한다" 하면서 처형했다. 사실 오빠는 신앙생활을 전혀 하지 않았다. 다만 보위부에 넘어간 문건을 보고 무작정 처형을 한 것이다.

오빠는 술, 담배도 안 할 정도로 깨끗하고 착하며 성분이 좋은 여자와 결혼했는데도 보위부에 올라가 있는 예수쟁이 집안이라는 문건만을 보고 끌고 가서 처형을 한 것이다. 예수를 믿었던 Y 자매 자신도 소학교 들어가면서부터는 신앙과 관련된 어떤 것도 전혀 할 수 없었다. 그럼에도 북한당국은 1959년 이후 기독교 말살정책을 펴면서 예전 문건을 통해서 핍박한 것이다.

온성 지역에는 평양에서 온 사람들 중에 예수쟁이라는 소리를 들은 사람도 많이 있었다. 그럼에도 이러한 분위기로 인하여 예수쟁이라 불리는 사람들과는 무서워서 가깝게도 지내지 못했다. Y 자매는 추방된 곳에서 있었던 한 가지 사건을 다음과 같이 기억하고 있다.

어떤 사람이 탄광일을 하는데 소대장이 탄광 안에서 식사하자 말하면 그 사람은 탄을 다 캔 굴로 들어간다는 것이다. 그래서 소변보러 가는 거겠지 했는데, 너무 자주 가니깐 소대장이 사람을 보내서 가봐라 했더니 가서 보니깐 소변이 아니라 기도를 드리는 것이었다. 그래서 결국은 고발이 되어서 보위부에서 데리고 갔다.

부모님이 죽은 이유도 알 수 없었던 어린 시절

Y 자매는 2002년 탈북하여 남한에 오기 전까지 가족에 관해 아무것도 몰랐고 기독교와도 전혀 접촉이 없었다. 외할아버지의 이름을 기억하지 못하는 것뿐 아니라 가족들이 왜 끌려가게 되었는지 어린 시절 왜 그렇게 힘들게 살 수밖에 없었는지 전혀 몰랐다. 가족에 관한 모든 사실은 탈북 후에 남한에 와서 비로소 알게 되었다. 북한 I지역에서 교장을 하셨고 같은 동네에 살았던 YS라는 분을 만나게 되었는데, 그는 당시 어머니와 6살 때부터 친구로 지냈던 사람으로 아버지가 투옥되었을 당시 함께 투옥되어 아버지가 고문을 당하고 감옥에서 죽는 과정을 지켜본 사람이다. 이 분을 통해 부모님의 행적과 어린 시절에 전혀 몰랐던 가족 이야기를 듣고 사실 적잖게 놀랐고 많은 의문이 풀렸다.

아버지가 어떻게 돌아가게 되셨는지 몰랐지만 탈북하여 남한에 내려와 살다가 북한에서 같은 마을에 사셨던 YS라는 분을 만남으로써 그분을 통해 아버지의 죽음의 과정을 들을 수 있었다. 아버지는 인물과 체격이 좋았으며 일본 동경대학을 졸업한 엘리트였다. 그런데 일제강점기 때 일본인들이 똑똑한 사람을 죽이려고 해서 그것이 무서워서 아버지는 어머니와 3살 된 오빠를 데리고 중국 하얼빈에 가서 택시기사를 하며 Y 자매의 언니도 낳았다. 그러나 어머니가 중국에서의 생활이 너무 외롭고 친지들이 모두 조선(북한)에 있으니 다시 고국으로 돌아가자고 하여 다시 조선으로 돌아왔고, 해방이 된 후 Y 자매가 태어나기 3개월 전인 1948년 3월, 북한당국에 의해 아버지는 끌려갔다.

감옥에는 먼저 YS 아저씨가 들어와 있었는데 어느 날 아버지가 잡혀서 들어왔다는 것이다. 서로 아는 척은 못했지만 눈빛을 교환했었다. 그런데 YS는 고문을 하지 않았는데, 유독 아버지는 자주 고문을 했다고 한다. 어느 날 아버지가 또 고문을 받으러 나가는데 아버지가 입고 있던 개털조끼를 벗어 주면서 추우니깐 이거라도 덮으라고 하시고 나가시고 고문을 받는 아버지의 비명소리가 크게 들리더니 다시는 돌아오지 않았다고 말씀하시며 그때가 12월이었다고 하셨다.

그리고 어머니는 Y 자매가 3살 때 북한당국에서 끌고 갔고 교수형으로 인생을 마감하셨다고 한다. Y 자매가 태어나기도 전에 아버지를 여의고 전쟁 중인 1950년 3살 때 어머니까지 북한당국에 의해 잃게 되었다. 어머니가 자신을 임신한 7개월째에 북한당국에서는 아버지를 끌고 가서 감옥살이를 하다가 끝내 감옥에서 고문으로 생을 마감했기 때문에 아버지의 얼굴을 살아생전 본 적이 없다.

Y 자매 집안은 북한에서 말하는 성분이 나쁜 집안이다. 흥남에서 배로 월남하고, 믿지 말라는 하나님을 믿고, 지주집안이고 하니 얼마나 성분이 나쁜 집안이었겠는가. 이후 친할머니와 함께 살게 되었고, 당시 Y 자매를 돌보던 친할머니는 부모도 못 보고 자라는 것이 불쌍한 손녀에게 차마 집안의 이야기를 할 수 없었을 것이라고 Y 자매는 회고했다.

북녘에서 기도하고 있을 그들

Y 자매는 탈북할 때까지 기독교와 전혀 접촉이 없었다. 아들은 군대에서 영양실조로 먼저 죽고, 남은 자녀 셋을 데리고 국경을 넘었고 한국에 와서야 모두 하나님을 잘 섬기게 되었다. 자녀들은 모두 결혼을 했으며 지금은 5대가 하나님을 믿는 믿음의 집안이 되었다. Y 자매는 자신은 남한 땅에서 자손들과 마음껏 하나님을 예배하고 신앙의 자유와 풍요를 누리지만, 아직도 북한 땅에 남아 있는 친지들은 숨죽여 그 믿음을 지켜가고 있으리라 믿는다고 말한다. 그리고 그들의 신앙은 탄광에서 혼자만의 기도를 드렸던 그 사람처럼 기도를 드리고 있을 것이라고 말한다.

70년이 넘도록 하나님을 향한 믿음을 가로막는 그곳에서 아무도 모르게 신앙을 지켜가고 있는 열정은 남한의 그 어떤 성도의 열정과도 비교가 되지 않을 것이다. 그리고 북한의 문이 열리면 북한에서 신앙의 끈을 놓지 않은 많은 이들이 하나님 앞에 나올 것이라고 믿어 의심치 않음을 Y 자매는 고백한다.

3. 평남 R교회 장로 가족

할아버지, 아버지의 신앙교육

L 형제는 할아버지 대로부터 시작된 신앙의 뿌리에 대해 기억하고 있었다. L 형제의 할아버지는 평안남도 S지역에서 R교회를 개척하신 책임 장로로 북한을 버리면 누가 이 땅을 지키겠냐며 북한을 떠나지 않고 남아서 교회를 지키셨던 분이다. L 형제의 할머니의 오빠는 김ㅇㅇ 장로로 故한경직 목사와 평양신학교를 함께 다녔던 분으로 L 형제는 탈북민들 중에는 드물게 신앙의 뿌리가 깊은 가정환경에서 자라왔다. 그리고 그 신앙을 고스란히 간직하고 있었던 모습을 엿볼 수 있었다.

L 형제의 할아버지는 인망이 좋으신 분으로 동네에서 유명하였다. 할

아버지는 교회에서 아이들을 가르치면서 술도 못 마시게 하고 담배도 못 피우게 하였다. 그리고 늘 베풀면서 살았다. 공산당이 잡으러 왔다가도 좋은 일을 많이 했기 때문에 어찌하지 못할 정도였다. 해방 직후 전쟁이 일어나기 전까지 공산당은 인망이 좋은 사람들까지는 건드리지 않았다고 한다. 문제는 본격적으로 기독교인을 추방하고 처형하는 시기였다. 하지만 마을에 할아버지의 좋은 일을 기리는 성덕비도 세워져 있었고, 좋은 일을 정말 많이 했기에 그 어려운 시기에도 목숨만은 건질 수 있었다. L 형제는 할아버지와의 추억을 이렇게 회고했다.

> 어렸을 때 들었던 옛날이야기들이 성경책에 있는 내용이었어요. 예수님에 대한 이야기를 들었거든요. 그리고 북한체제가 무조건 망할 것이라고 이야기해 주셨어요. 할아버지는 제 손을 잡고 다니면서 이 땅들이 우리 땅이었는데 공산당이 모두 착취한 것이라고 설명해 주셨어요. 공산당의 잘못된 교육에 대해서 비판도 하셨어요. 공산당이 가르치는 것처럼 우리가 절대로 나쁜 일을 한 것이 아니라고 했어요. 저는 이렇게 가정에서는 할아버지에게 신앙교육을 받았지만, 학교에서는 공산당 교육을 받았어요. 그래서 정체성에 혼동이 올 때가 많았습니다.

할아버지의 신앙교육 속에서 정체성에 혼동이 올 정도로 고민이 많았던 L 형제에게 도움을 준 사람은 다름 아닌 아버지였다. L 형제의 아버지는 할아버지의 영향으로 주일학교를 다녔으며, 손자인 L 형제보다 더 철저한 가정교육을 받아왔다. 그런 L 형제의 아버지는 L 형제에게 성경책에 나오는 예수에 대해 직접적으로 설명하는 대범함을 보여 주었다. 게다가 교회가 무엇인지, 기독교가 무엇인지, 올바로 사는 것이 무엇인지 늘 가르쳐 주셨다.

죽음의 위기 속에서도 굴하지 않는 믿음

L 형제는 기독교 집안에서 태어났기 때문에 성분이 좋지 못했다. 할아버지 성분이 기독교 장로로 되어 있었기에 대학을 진학하기 어려운 출신이었던 것이다. 하지만 김정일이 정치적 기반을 확립했던 1984년도 이후 적대계층이라도 공부를 잘하는 사람은 공부하고 싶은 곳으로 보내 주라는 지시가 있었고, 한 개 군에서 한 명을 추천했었는데, L 형제가 추천을 받게 되어 이과 대학을 수석으로 입학할 수 있었다. 정말 기적과 같은 일이었다. 사실 이러한 기적은 L 형제의 아버지에게 먼저 있었다. 신분상의 어려움을 인지하고 있었던 터라 미래에 대해 큰 기대를 가지고 있지 않았던 L 형제의 아버지는 군수공장에 노동자로 일을 하고 있었는데 그곳에서 배구를 잘해서 배구팀에 발탁이 되었고, 도(都) 대회에서 우승하여 평양에까지 갈 수 있게 되었다. 그래서 결국 체육대학에 스카우트되는 기적을 경험할 수 있었다. 스스로의 신앙을 지키기도 버거운 곳에서 하나님 사랑하는 마음을 버리지 않고, 또한 그 신앙을 위험한 상황 속에서도 이를 무릅쓰고 자녀들에게 가르쳤던 L 형제 가족에게 주신 하나님의 은혜였으리라.

이렇게 신앙으로 자라온 L 형제는 또래 청년들과는 다르게 대학생활 중 주체사상에 대한 회의와 김일성, 김정일 부자에 대한 반감을 갖게 되었다. 물론 L 형제 아버지도 입당을 거부할 정도였으니 그 아버지에 그 아들이었다. 아버지는 L 형제의 이런 생각에 동조해 주셨다. 자신은 나쁘다는 것을 알면서도 어찌할 수 없는 시대의 사람이고 그냥 살아남은 것만으로도 다행이었던 세대라고 하면서 L 형제 세대는 자신의 세대와 다르니 하고 싶은 대로 하라고 조언을 했던 것이다. L 형제의 어떤 행동으로 인해 가족이 몰살을 당해도 후회하지 않겠다는 각오였다. L 형제는 친구들과 함께 지금의 정권에 대해 반대하는 행동을 하려고 했다. 대학 공부보다는 북한의 시스템에 대해 연구하면서 자신들이 북한의 고위직이 되었을 때 어떤 일을 하는 것이 옳은 것인지 모의를 한 것이다. 그 친구들 중에 소련에서 유학을 한 친구들이 있었는데 그 친구들이 '프룬제 군사 아카데미 사건'5)으로 숙청당했다. 그 과정에서 고문을 통해 함께 모의했던 친구들의 이름이 밝혀졌고, 친구들이 하나둘씩 잡혀가는 것을 보고 두려움에 사로잡힌 L 형제는 탈북을 결심하게 되었다.

부모님의 신앙교육이 밑거름이 되었다

어쩌면 이것이 진짜 은혜라는 생각이 들었다. 마치 다니엘과 세 명의 친구들 같았다. 그들은 하나님이 보호해 주시는 은혜를 입어 포로로 끌려간 곳에서 특별한 대우를 받게 된다. 엘리트 교육을 받으면서 인재로 등용될 수 있는 길이 열린 것이다. 포로지에서 상상이나 할 수 있는 일이었을까? 아니다. 다른 포로들은 어려운 생활을 하는데 그들에게는 은혜 중의 은혜였다. 하지만 진짜 은혜는 아니다. 사실 진짜 은혜는 하나님 사랑하는 것을 멈추지 않겠다는 마음을 주신 것이다. 그래서 그들은 하나님의 말씀을 어기는 행동은 절대 하지 않았다. 배고픔을 참아냈고 맛있는 것을 먹는 것도 꺼려했다. 왕에게 절하는 것 역시 당연히 하지 않았다. 죽음의 위기 속에서도 절대로 굴하지 않는 믿음.... 그것이 진짜 은혜다. 복받는 것을 흔히 은혜라고 말하지만 흔들리지 않는 믿음을 가지게 된 것이 진짜 은혜다. 하나님께서 이 세상 모든 것을 선물로 준다 하여도 그것에 현혹되어 살아가는 것이 아니라 사도바울처럼 모든 것을 배설물로 여길 수 있는 믿음의 삶을 사는 것이 진짜 은혜이다. 그는 할아버지, 할머니, 부모님이 들려준 말씀이 삶의 근간이 되었다며 이렇게

---

5) 프룬제 아카데미아 출신 장교 쿠데타 모의 사건은 1992년 소비에트 연방의 프룬제 군사 아카데미(현 러시아 군사 종합 아카데미) 유학파 출신의 조선인 민군 장교들이 쿠데타를 시도한 군사 사건이다. 조선인민군 창설 60주년 기념 행사가 예정된 1992년 4월 25일, 사열식이 열릴 때 쿠데타 세력이 전차포로 김일성, 김정일 부자를 살해하고 권력을 장악할 계획을 꾸몄으나, 정보 유출로 실패했다.

증언하였다.

제가 어려울 때 흔들리지 않고, 올바르게 살며, 나누고 베푸는 삶을 살게 된 것은 성경책을 보는 순간부터였어요. 하지만 시작은 부모님께서 올바른 교육을 해 주셨기 때문이 아닐까 생각합니다. 할아버지 할머니의 올바른 기독교적인 가치관의 교육도 빼놓을 수가 없습니다. 그것은 입술의 교육을 넘어 예수님처럼 몸소 보여 주는 교육이었어요. 그래서 부모님의 모습을 통해 받게 된 성실함과 남에게 해를 끼치지 않는 기독교적인 마인드가 저의 올바른 삶의 근간이 되었습니다.

L 형제는 기독교 집안이었기에 성경말씀을 통해 신앙에 대한 교육을 받아왔다. 하지만 그 열매로 L 형제에게 바로 믿음이 생겼던 것은 아니다. 신앙을 아직 잘 몰랐다. 하지만 고등교육을 받으면서 신이 무엇인지에 대해서 상당히 관심을 가지게 되었다. 인간에 대한 궁금증도 또래 친구들보다 많이 가지고 있었다. 대학에서는 철학을 공부하면서 특수열람실에서 기독교 관련 서적을 몰래 보기도 하면서 믿음이 희미하게나마 생기기 시작했다. 그런 이유에서였을까? 이후 탈북 과정 중 중국에 와서 신앙을 접했을 때는 15일 동안 정신없이 성경을 읽게 되었고, 그동안 희미했던 신앙이 굳건해지고 정립되었다.

4. 강선욱 장로 가족

신앙생활을 하지 않았던 할아버지

K 형제는 할아버지가 강선욱 장로이고, 둘째 할아버지는 강양욱 목사로 기독교 집안의 후손으로 살았다. 하지만 이렇게 기독교 집안의 내력을 가지고 있었으나 체제에 협력하고 순응하며 살았던 탓인지 그 믿음

의 뿌리를 찾기는 힘들었다. K 형제는 둘째 할아버지(강양욱)가 목사인 것을 알고는 있었지만 진짜 목사라고 인식하지는 않았다. 1960년대 후반 10대를 보냈던 K 형제의 어린 기억에는 기독교라는 단어 자체를 어느 곳에서도 들어볼 수 없었다. 어린 시절 집안에 대한 기억을 K 형제는 이렇게 회고한다.

> 할아버지와 살지는 않았지만 일요일이나 방학 때는 할아버지 집에 갔었거든요. 하지만 할아버지가 기도하는 것을 한 번도 보지 못했습니다. 밥을 먹을 때든 뭘 할 때든 기도하는 것을 본 적이 없어요. 작은 할아버지(강양욱 목사)가 명절에 할아버지 댁에 왔을 때 작은 할아버지가 기도하는 것도 한 번도 본 적이 없었어요. 작은 할아버지 집에도 가끔 갔었는데 그곳에서도 성경책을 본 적이 없어요. 할아버지 집도, 삼촌 집도, 우리 집에도 성경책은 없었습니다.

당시 북한은 종교를 억압하는 종교정책을 실시하였다. 정치사상적인 이유였다. 게다가 전쟁으로 극심한 물적, 인적 피해를 당한 결과 전쟁 이후 미국에 대한 적개심이 높아지면서 미국과 연관되는 기독교에 대한 사회적 인상이 대단히 부정적으로 바뀌었다. 미군의 무차별적 공습과 반공종교인들의 행태는 기독교가 미국의 종교이고 그 앞잡이라는 인상을 일반 주민들에게 남겼다. 결과적으로 북한정부에게 탄압의 강력한 근거를 제공한 것이다. 그래서인지 북한의 종교현실에 대해 짐작할 수 있는 일차 자료는 거의 존재하지 않는다. 다만 북한이탈주민들의 증언으로 그 때를 유추해 볼 따름이다. 대부분의 증언은 종교시설이 파괴되었고, 많은 종교인들과 그 지도자들이 희생되었다는 것이다. 주민성분조사사업에 근거하여 기독교인을 비롯한 종교인들은 잠재적인 반혁명분자로 지목되어 일상적인 감시하에 놓이게 되었고, 사상교육의 강화라는 맥락에서 이른바 반종교선전이 대대적으로 전개되었다는 것이다. 결국 1960년경에 이르러서는 북한 땅에서 모든 종교단체와 종교의식은 사라졌거나 지하화되었으며 기존 종교활동이 거의 모습을 감추게 되었을 것으로 짐작된다. K 형제도 어릴 적 종교상황에 대해 이렇게 설명했다.

> 북한에는 60년대 말부터 기독교가 전혀 없다고 봐야 합니다. 50년대 조그련이라는 외곽 단체가 존재했었지만, 나는 그런 것이 있는지도 모르고 살았습니다. 외곽 단체라고 해서 당에서 비밀리에 조직한 기독교 단체였지 이것이 공공연하게 공개되지는 않았어요. 저는 봉수교회가 설립되었을 때 알게 되었어요. 봉수교회가 세워질 때 우리나라에도 기독교라는 것이 있었구나 알게 되었습니다.
>
> 칠골교회가 세워진 곳이 강촌마을이라는 곳인데 강씨 집안이 사는 곳이었어요. 강촌마을에 김일성의 어머니 강반석이 살았고, 강반석의 아버지 강돈욱이 세운 것이 창덕학교였어요. 그저 김일성 어머니가 살고 있었던 곳이어서 그렇게 교회를 세웠던 것 같아요. 아무튼 저는 기독교라는 것을 들어보지 못했습니다. 학교에서 배울 때는 기독교는 아편과 같은 것으로 배웠고, 침략의 도구로 사용하려고 미국이 만들어 낸 것이라고 배웠습니다.

신앙의 기억이 전혀 없다

종교에 대한 억압정책 때문에 종교단체를 이끄는 공인된 종교인으로 살고 있음에도 불구하고 자녀들에게는 마치 숨바꼭질을 하는 것처럼 전혀 들키지 않으려고 노력하게 만들었던 것 같다. 그래서인지 K 형제와의 대화에서는 어느 곳에서도 신앙의 흔적을 찾아볼 수가 없었다. 종교단체를 이끄는 것은 종교인으로서가 아니라 정치인으로 하는 것이고 김일성의 명령과 당의 명령에 의해서만 움직여진다는 것이다. 신앙의 가문으로서 신앙이 이어졌기 때문에 그 단체를 계속 이어서 했던 것이 아니라 그저 당의 지시였을 뿐이었다. 제대로 된 신학교육을 받지 않았음에도 불구하고 목사로 불리었고 종교단체를 이끄는 수장이 되는 것이다. 신앙인은 거의 다 추방을 당하거나 투옥을 당하고, 처형을 당했다고 했다. 나머지 순응하고 협력하여 남아 있는 신앙인들은 철저하게 그 신앙을 숨기면서 살았고, 그것은 신앙의 단절로 이어졌다. 그러니 이제 평양에 남아 있는 사람들에게 교회는 듣지도 보지도 못한 것이 되어버렸을 것이다. K 형제에게도 신앙의 기억은 하나도 남아 있지 않았다.

조그련은 허구에 불과합니다. 조직 자체가 허상이에요. 산하 조직기관이 없는데 힘이 있겠습니까? 신앙이 있어서 위원장 같은 것을 하는 것이 아니에요. 그저 당에서 하라고 하니까 하는 거예요. 신학 공부도 안했어요. 그냥 일하던 사람이 아버지가 죽으니까 불려 와서 다음 위원장이 되는 거예요. 가정에서도 다르지 않았습니다. 어머니도 아예 종교와 상관이 없는 분이었어요.

아마 일반 사람들도 기독교가 무엇인지, 교회가 무엇인지 전혀 몰랐을 거예요. 제가 알기로는 탈북한 사람들도 기독교에 대해서는 전혀 모르다가 남한에 와서 알게 된 것 같아요. 평양 사람들도 교회가 무엇인지 잘 모를 거예요. 그나마 봉수교회가 설립되면서 조금 알게 되었을 뿐이에요. 그리고 한국과 접촉도 하고, 미국 사람들이 방문을 하면서 교회에 대해서 관심을 갖기 시작했던 것 같아요. 교회 사람들이 와서 무엇인가를 주고 계속 봉사를 하니까 교회에 대해서 관심을 가졌던 것이지 다른 이유는 없어요.

북한의 종교에 대해서 일반 주민들과 엘리트층에 속해 있는 사람들이 인식하는 바는 다를 것이다. 그리고 신앙이 있는 사람과 신앙이 없는 사람이 느끼는 종교에 대한 인식 또한 다를 것이다. 일반 주민들에게만 보이는 모습이 있고, 마찬가지로 엘리트 집단에 속해 있는 사람들에게만 보이는 것이 있다. 같은 곳에서도 신앙이 있는 사람들은 신앙인이 가장 먼저 눈에 들어오겠지만, 신앙이 없는 사람들은 신앙의 흔적조차 찾지 못한다. K 형제의 눈에는 신앙에 대한 것이 아무것도 보이지 않았다. 신앙의 대가 단절된 것이다. 신앙의 다음 세대가 된 것이 아니라 신앙이 다른 세대가 된 것이다. 게다가 엘리트층에서 엘리트 교육만을 받고 그들과만 함께 지냈기에 북한의 엘리트층만이 인지하는 북한을 알고 있는 것이다. 신앙을 이어받기 어려웠고 엘리트로 살아왔던 그에게 북한의 기독교는 어떤 의미로 다가올까?

북한은 기독교를 배척합니다. 아직도 김일성이 살아있다고 믿고 있어요. 하나님을 받아들이는 순간에 김일성을 버릴 수밖에 없기에 그 행위 자체가 반공인 것입니다. 그럼에도 전략상 국제사회로부터 얻어먹어야 하기 때문에 조그런을 만들었던 거예요. 북한이 잘 먹고 잘살면 기독교가 필요 없겠지만, 쇠퇴하게 되자 전략상 만들어 놓은 것뿐이에요. 그 종교를 활용해서 구걸한다고 생각하시면 됩니다.

70년대 기독교인의 핍박 수위가 높아지면서 원성이 강했기에 북한당국에서 김일성과 관계되는 사람들 중에 기독교인은 풀어주는 정책을 폈다고 하는데 그렇게 증언하는 사람은 사기꾼입니다. 우리 할아버지가 목사였는데도 밥 먹을 때 기도 안 했습니다. 북한의 실상입니다. 신앙생활하는 모습이 걸리면 바로 죽는 거예요. 사상동향도 체크하고 동선까지 다 감시합니다. 저는 가족 안에서 기독교적인 모습을 일절 본 적이 없습니다. 전혀 없어요.

제5장

무명의 신앙인 가족 이야기

1. 기독교 훈장 가족

추방당해도 꺾이지 않는 신앙

H 자매의 가족은 평양에서 살다가 1950년대 후반쯤 온성으로 추방당했다. 그때 당시 온성에는 아직 탄광이 있기 전이었고 호랑이가 다닌다고 할 정도로 산간오지였다. H 자매는 추방된 이후 온성에서 태어났다. H 자매의 7살 때 기억으로는 주변에 보이는 집이 3채 뿐으로 듬성듬성 30분 거리에 한 채씩 있었다고 한다. 집이 많지 않았기 때문에 한 집에 추방되어 온 가정들이 함께 살게 되는 경우가 많았다. H 자매 가족도 기존에 추방되어 온 가족과 함께 살게 되었던 집에 이미 살고 있었던 가정은 독실한 크리스천 가정이었다. 이처럼 온성에 살고 있었던 사람들은 대부분 평양에서 추방당한 크리스천들이었고, 그 사람들이 주기적으로 모임을 가졌던 것으로 보인다. H 자매는 이렇게 회고한다.

7살 때 자다가 깼는데 집에 아무도 없는 거예요. 그래서 막 울면서 뛰어나가 다른 집을 찾아갔어요. 어떻게 알고 갔는지는 모르겠지만 거기에 어머니가 있었어요. 그리고 그곳에 평양에서 쫓겨난 사람들이 함께 있었어요. 어른들이 저한테 이렇게 말하면서 혼냈어요. "엄마 자꾸 쫓아다니면 엄마가 일찍 죽으니까 얼른 가서 잠이나 자거라." 우리 집에서 모일 때도 있었는데 그럴 때면 저를 다른 집으로 보냈어요. 아마 아이들은 입단속이 안 되니 소문이 날까 봐 그랬던 것 같아요.

신앙 때문에 추방당했지만 신앙의 끈을 놓지 않고 살고 있었던 북한의 크리스천들의 모습을 엿볼 수 있었다. 남한에서는 신앙생활을 하다 보면 시험 들었다는 이야기를 많이 듣게 된다. 신앙 때문에 어려움을 당하게 되면 신앙의 끈을 놓는 사람들을 일컬어 하는 말이다. 신앙 때문에 당하는 어려움이 북한의 크리스천들만큼 할까? 북한의 크리스천들은 신앙 때문에 모든 것을 잃었다. 살고 있었던 집과 가지고 있었던 직업을 신앙이라는 이유 하나만으로 빼앗기게 된 것이다. 온성지역은 한반도 최북단에 위치한 곳이다. 지금도 열악한 지역인데 당시에는 얼마나 열악한 곳이었을까? 평양이라는 북한 최고의 도시에서 북한 최악의 시골로 추방당해서 살아간다면 신앙을 버릴 만도 하다. 하지만 북한의 크리스천들은 다시 모였다. 그리고 함께 예배를 드렸다. 상황과 환경이 그들의 신앙을 흔들지 못했던 것이다.

추방당했던 곳이기에 그곳은 안전했을까. 아니다. 추방지에서는 또다시 추방당하는 경우가 있었다. 추방을 당했지만, 그곳에서도 계속 감시가 이루어졌기 때문이다. 그리고 그 감시에 걸리게 되면 2차 추방으로 정치범 수용소로 보내졌다. 혹여나 그렇게 모여서 예배를 드리는 것이 발각이라도 된다면 하룻밤 사이에 사라져버릴 수 있는 상황이었다. H자매와 한집에서 함께 살았던 먼저 추방되어 온 사람들은 2차 추방인

정치범 수용소로 끌려갔다. 그때의 일을 H 자매는 이렇게 회고한다.

> 함께 살게 되었던 집에 계시던 할머니가 독실한 예수쟁이였어
> 요. 그 집에 가면 염소젖도 짜서 끓여 주고, 노래도 배우고 놀기
> 도 하고 그랬어요. 그런데 그 집안이 다 정치범 수용소에 끌려간
> 거예요. 원래는 할머니만 끌려가는 거였는데 아들이 어머니를 따
> 라가겠다고 하더라고요. 사람들이 죽으러 가는 거 뻔히 알면서 왜
> 따라가냐며 수군거렸어요. 예수쟁이들은 죽으러 가면서도 웃는다
> 며 비아냥거리는 사람들도 있었어요. 당시 사람들이 예수쟁이라는
> 말을 많이 해서 궁금했는데, 학교 친구들이 하룻밤 지나면 없어지
> 고 그러니까 무서워서 물어보지도 못하는 분위기였어요.

신앙을 가지고 있기 때문에 평양에서 추방당했던 것은 갑작스럽게 일
어난 일이라면 2차 추방이라고 불리 우는 정치범 수용소로 끌려가는 것
은 예상되는 일이었다. 자신들이 감시당하고 있다는 것을 뻔히 알고 있
었고, 걸리면 정치범 수용소로 끌려간다는 것도 알고 있었다. 그럼에도
불구하고 북한의 크리스천들은 모여서 예배를 드렸던 것이다. 죽음이 눈
앞에 보이는데도 불구하고 우리는 예배드릴 수 있을까. 조금만 어려운
일이 생겨도 신앙이 흔들리는 우리들의 신앙을 부끄럽게 만든다.

신앙은 말이 아니라 삶이다

온성에는 10여 년이 지나면서 추방되어 온 사람들이 늘어났고, 탄광
이 생기게 되면서 마을을 이룰 만큼 커졌다. H 자매 가족은 마을이 생
기면서 집을 하나 받게 되었다. 계속 다른 집에 얹혀살거나, 다른 건물
에 칸막이를 해서 지냈었는데 추방당해 힘든 일상 속에서 작은 기쁨을
경험하게 된 것이다. 하지만 기쁨도 잠시 H 자매가 14살 되던 해 어머
니가 돌아가셨다.

그녀는 암으로 죽었는데 신음소리 한 번을 내지 않았다. 6개월 정도 투병 기간 동안 대소변을 가리기도 힘든 상황이었음에도 불구하고 지저분한 모습을 보여 주지 않으려고 애썼다. 그리고 평안한 얼굴로 마지막까지 미소를 잃지 않으셨다. H 자매의 어머니는 살아생전에도 남다른 성품을 가지고 있었다. 풍족하지 않은 생활 속에서도 오고가는 사람들에게 끼니때마다 집에서 밥을 해서 먹였다. 가정을 위해 돈을 모아 새것을 장만할 수도 있었을 텐데 있는 그 돈으로 주변 사람들을 도왔던 것이다. 자기 자신을 위한 삶이 아니라 오로지 다른 사람들을 위해서만 살았다. 외부에서 농촌동원이 오면 사람들이 두 달 정도 머물고 가는데 다시 오는 것도 아니고 따뜻하게 감사의 인사를 전해 주는 것도 아닌데 그 사람들을 그렇게 열심히 챙겼다. H 자매는 당시 이런 어머니의 모습이 싫었다.

'왜 엄마는 다른 사람에게만 잘할까. 바보인가?' 속으로 엄마 흉을 봤던 것 같아요. 엄마가 너무 마음 씀씀이가 헤퍼서 살림을 잘 못하는 것 같다고 생각했고요. 남 챙기는 일이 쉽지 않은데도 엄마는 한 번도 싫은 소리를 안 했어요. 나 같으면 짜증날 것 같은 상황인데도 전혀 불평이 없었어요.

마음씀씀이가 헤퍼서 퍼주기만 하니까 살림을 잘 못하는 것으로 생각했고, 싫은 소리 안 하고 참고 사는 모습이 바보 같아 보였던 것이다. 어린 나이에 착하게 살면 일찍 죽는 줄로 알고 자신은 그렇게 살지 않겠다고 다짐하기도 했다. 그러나 장례식에 찾아온 사람들은 아까운 나무가 먼저 베인다며 안타까워했다. 장례식 이후 H 자매는 어머니의 지인들에게 많은 도움을 받았다. 어머니 덕에 자신도 신뢰를 받고 있었던 것이다. 살아계실 때는 바보처럼 살았다고 생각했는데 이렇게 도움을 받다 보니 정말 좋은 분이셨다는 것을 새삼 깨닫게 되었다. 그리고 H 자매가

21살 되던 해에 아버지와의 대화를 통해 어머니가 왜 그런 삶을 살았는지 알게 되었다.

아내의 죽음 이후 신앙을 갖게 된 아버지

H 자매의 아버지는 그의 아내를 예수쟁이라고 말해 주었다. H 자매 어머니의 삶은 천성이 착했던 것이 아니라 성경말씀에 근거한 예수님 닮은 모습이었던 것이다. H 자매의 어린 기억에는 어머니의 신앙생활이 선명하지 않았지만 H 자매 아버지는 그의 아내를 다름이 아닌 성경책을 읽는 모습으로 분명하게 회고하고 있었다. H 자매의 아버지는 추방되기 전 평양에서 사회 안정성 소속이었다. 하지만 H 자매 어머니가 예수를 믿었기 때문에 추방당한 것이다. H 자매 아버지는 출당당하고 좌천되어 북한에서 제일 천한 직업인 농민신분이 되었다. 그는 자식들도 농민신분으로 살아야 하는 것이 안타까웠고, 그래서 복당하려고 노력을 많이 했었다. 하지만 H 자매 어머니는 읽으면 안 된다고 했던 성경책을 계속 읽으며 H 자매 아버지의 마음을 조마조마하게 만들었다. 그래서 성경책을 못 읽게 하려고 감춰놓기도 하고 때리기도 하고 욕도 했지만 그 어떤 방해도 성경책 읽는 것을 막을 수 없었다. 그녀는 신념이 강하고 독했다.

H 자매 아버지는 아내가 죽기 전까지는 신앙이 없었다. 하지만 아내가 죽고 난 이후 H 자매 아버지의 태도가 바뀌었다. 아내의 영향을 받은 것이다. H 자매의 아버지는 아내가 똑똑하고 지혜로웠기 때문에 말을 안 들을 수 없었다고 했다. 그런 아내 덕에 신앙의 차이가 있었음에도 불구하고 부부는 화목하게 지냈다. 아내가 죽고 자녀교육에 나서야 했던 H 자매 아버지는 H 자매가 성장하는 동안에 어머니에게서 들었던 내용을 반복적으로 가르쳤다고 했다.

나보다 남을 낮게 여겨야 한다. 내가 좀 손해 보는 것이 낫다.

한 발 양보하라. 내가 손해 봐야 세상 살기 편하다. 살면서 고맙고 신세졌던 것들은 꼭 갚아야 한다. 인간관계에서는 내가 손해본다고 해야 속이 편하다. 그래야 사람들이 좋아한다. 사람들이 너에게 선을 베풀게 하려면 네가 한 발 양보하라.

가정에서 배운 가치관은 바깥세상과 너무 달랐다

이러한 교육은 H 자매의 어머니의 삶을 그대로 풀어낸 것이었고, 북한에서는 배울 수 없는 교육이었다. 사춘기시절 이러한 교육을 받은 H 자매는 갈등이 심했다. 집에서 배운 것과 밖에서 배운 것이 달랐고, 그래서 집에서 배운 가치관과 밖에서 배운 가치관이 충돌했다. 밖에서의 삶의 방식과 집안에서의 삶이 방식이 너무 달라서 혼란스러웠다.

집에서 하는 이야기가 다르고 밖에 나오면 또 달랐어요. 밖에서 사람들이 살아가는 세상이 우리 집하고 다르더라고요. 저는 집안에 들어가면 자유롭고 편안하고 다 좋은데 도대체 우리 집안에서 생각하는 가치관이 밖에 나와서는 안 먹히는 거예요. 이런 것들 때문에 심리적으로 충돌이 되었던 것 같아요. '남을 계속 도와주기만 하고 남을 위해서 집에 있는 거 없는 거 다 퍼주는데 우리 엄마는 왜 빨리 죽나? 왜 그렇게 착한 사람이 먼저 죽나? 악한 사람은 더 잘살고 있지 않나? 그런데 우리 엄마는 왜 먼저 죽나?' 하면서 아버지한테 반항도 하고 대들기도 했어요.

사춘기시절 H 자매는 이런 생각들로 아버지에게 반항하며 대들기도 했다. 하지만 탈북과정을 통해 하나님을 만나게 되고 성경책을 읽으면서 어머니의 삶 속에 있었고, 아버지께서 가르쳐 주신 교육 속에 있었던 것이 신앙이었다는 것을 알게 되었다.

탈북해서 남한에 오는 과정 속에 교회의 도움을 받았어요. 교회에서 저보고 하나님을 믿어야 남한에 갈 수 있다고 하는 거예요. 기도하는 법도 가르쳐 줬어요. 하지만 저는 속으로 '너나 잘 믿어라. 나는 니 말 콩으로 메주를 쑨다고 해도 안 믿는다'고 생각했어요. 그런데 잡혀서 다시 북송될 위기에 처하니까 기도가 저절로 나오더라고요. 예수님의 이름으로 기도하는데 그 예수가 너무 익숙한 거예요. 어디서 많이 들은 이름인 거예요. 가만 생각해 보니까 예수쟁이라고 들었던 기억이랑, 우리 엄마가 믿었던 예수 그리고 성경책이 생각났어요. 그때 감옥에서 어린 시절 기억들이 되살아났어요. 결국 하나님의 은혜로 다시 탈북할 수 있게 되었고, 나오자마자 성경책을 찾아서 읽기 시작했어요. 성경을 읽으면서 이런 하나님이라면 평생 믿겠다고 다짐했어요. 그러면서 우리 가정이 믿음의 가정이었다는 것도 깨닫게 되었고, 그 후 교회를 다니면서 하나님을 깊이 만날 수 있었어요. 지금 돌이켜보면 '엄마가 그때 예배를 드렸구나' 그런 생각이 들어요. 그리고 차마 저한테 말을 못했지만 삶으로 보여 줬다고 생각해요. 그렇게 살면 안 된다는 것을 알려 주신 것 같아요.

가정을 통해 이루어진 철저한 신앙교육

H 자매는 자신이 가지게 된 신앙은 어머니의 삶을 통해 전수받은 것이라며 중국에서의 자신의 삶의 변화를 이렇게 회고했다.

하나님을 제대로 믿고 중국에서 처음으로 '애는 착해서 어떻게 사니?'라는 말을 들었을 때 너무 행복했어요. 내가 진짜 바뀌어서 '이제야 제대로 된 사람이 되는구나' 생각하게 되었어요. 어릴 때는 엄마가 사는 태도를 싫어했지만 엄마는 이 성경에서 하나님의 말씀하신 대로 살려고 노력했었고, 나는 북한에 있었기 때문에 무의식에서 따라가고 싶었지만 거부하고 있었다는 생각이 들었어요. 그만큼 엄마는 저에게 있어서 제 신앙의 뿌리예요. 지금도 우리 아이들에게 그런 이야기를 굉장히 많이 해요. 엄마가 잘해서 믿음 이 좋아진 것이 아니고 할머니가 그만큼 기도를 많이 했고 삶으로 보여 줬기 때문이라고요.

H 자매의 외할아버지는 훈장으로 굉장히 지적이시고 영향력이 있는 분이었다. 평안도 지역의 훈장들은 거의 기독교인이었고 실제로 영향력 도 상당했던 것으로 알려져 있다. 말로 복음을 전하지는 않아도 몸에 복 음이 배어 있기 때문에 삶으로 복음의 능력이 나타났던 것이다. 그 신앙 이 어떻게 전해졌는지 H 자매는 자세히 알 수 없었다. 신앙에 대한 이 야기를 하기 어려운 북한상황에서는 당연한 일일 것이다. 하지만 신앙이 삶에서 몸에 배어 있었기 때문에 말로 하지 않아도 삶으로 어머니에게 전해졌을 것이라고 H 자매는 생각하고 있었다. 자신이 그랬던 것처럼 말이다.

보통 북한에서 자녀들을 교육할 때는 북한당국에서 선전선동하는 대 로 한다. 학교가 아니라 가정이지만 어버이 수령에게 인사하는 것을 먼 저 가르칠 정도다. 하지만 H 자매 가족은 그런 교육을 하지 않았다. 명 절에도 초상화 앞에서 인사하지 않았다. 그렇게 해 본 적이 없어서 안하 는 것이 당연하다고 느낄 정도였다. H 자매는 남한에 와서야 북한 사람 들이 가부장적이라는 것을 알았다. H 자매 가족은 항상 공평했고 민주 적이었기 때문이다. 부부사이도 좋았다. 도란도란 이야기를 나누는 모습 을 자주 보았다. 보통의 북한 가정에서는 술 마시고 아이들 때리고 그러 는 집이 많았는데 H 자매 가족은 달랐던 것이다. 그렇게 신앙의 뿌리는 할아버지를 통해서 어머니로 그리고 딸로 이어졌다. 모든 것이 가정을 통해 이루어졌다.

2. 숭실학교 교사 가족

졸지에 고아가 되다

F 자매는 3대째 기독교인 집안에서 태어났다. F 자매의 할아버지는 어릴 적 평양에서 열린 부흥회에 참석하고 와서는 완전히 변화되었고, 후에 평양의 숭실학교 교사로 일하였다. 할아버지는 해방 전에 돌아가셨는데 그때 당시에는 평양에다가 십자가 표시가 되어 있는 비석을 세우고 산소를 마련할 수 있었다고 한다. 하지만 해방이 되고 나서 공산정권이 들어섰고 북한당국은 할아버지의 산소를 불도저로 밀어버렸다. 이후 북한당국은 F 자매 가족을 예수쟁이라 부르며 성분을 분류하였다. 그래서 가택수색을 수시로 당했고, 결국에는 성경책을 뺏기게 되었다. 이렇게 고생을 하게 되니 너무 힘이 들어 아버지는 맨몸으로 서울까지 걸어서 도망을 하였다고 한다.

그렇게 시작된 서울 생활 중에 F 자매가 태어난 것이다. F 자매는 외가 쪽으로도 기독교 집안이었기 때문에 어릴 적 가장 기억에 남는 것도 기도하고 찬송 부르는 것이었다. 어떠한 이유인지는 정확히 알 수 없으나 다시 북한으로 돌아간 F 자매 가족은 평양에 있는 S교회 신예배당에서 예배를 드렸다. 하지만 북한의 억압은 점점 심해져 갔다. 하나님 이름만 불러도 잡아가기 일쑤였다. 당시 8살 때의 기억을 F 자매는 이렇게 회고하였다.

> 우리 집에 사람들이 모였어요. 집에 있는 문을 포단으로 가리고 집 안에서 예배를 드렸어요. 어떤 안경 쓴 여자 분이 검정색 표지의 책을 가지고 우리 집에 와서는 설교도 하고 찬송도 불렀어요. 저는 어렸을 때 찬송가 부르는 것이 그렇게 좋았어요. 그런데 사람들이 자꾸 저보고 나가서 보초를 서라는 거예요. 저는 그게 너무너무 싫었어요. 찬송 부르는 것이 좋아서 안 나가겠다고 떼를

쓰고 그랬어요. 지금 생각해 보니까 여기서 드리는 예배 순서 그대로 집에서도 예배를 드렸던 것 같아요.

녹록하지 않은 신앙생활이었지만 F 자매 가족은 박해와 억압 속에서도 신앙을 이어가는 일을 소홀히 하지 않았다. 하지만 6.25전쟁이 일어났고 전쟁 폭격에 아버지, 어머니가 모두 돌아가셨다. 졸지에 전쟁고아가 된 9살 된 F 자매는 4살짜리 동생을 데리고 3년 동안 평양에서 거지 생활을 했다.

저는 서울에서 살다가 평양에 간 거여서 서울말을 썼기 때문에 더 힘들었어요. 북한에서는 전쟁을 남쪽에서 시작했다고 이야기했기 때문에 9살이었는데도 서울말을 쓰니까 저보고 간첩이라고 하는 거예요. 전쟁고아들은 고아원에 데려갔는데 저는 간첩일 수도 있어서 안 된다고 그러더라고요. 어려서 그랬는지 대꾸도 잘 못했어요.

게다가 평양 지리도 잘 몰라서 헤매고 다녔어요. 어떤 집이고 찾아가서 울면서 대문 앞에 있으며 구걸하면 우리 때문에 간첩혐의 받는다며 쫓겨나기 일쑤였어요. 할머니 집에 찾아가야 하는데 서류 같은 것도 잘 모르고요. 배는 고프지, 동생은 엄마 찾으며 울지.... 저도 모르게 하나님을 찾게 되더라고요. 지금 와서 생각해 보면 겉으로는 전쟁고아에다가 거지가 된 것이지만 아주 대단한 유산을 받았던 것 같아요. 바로 하나님을 믿는 유산이요.

감시와 억압 속에 숨겨야 하는 신앙생활

한 치 앞도 내다볼 수 없는 고난의 삶을 살고 있던 F 자매의 이야기는 여기서 끝이 아니다. 고아로 3년 정도의 삶을 살았던 F 자매를 찾아온 사람이 있었다. 바로 삼촌이었다. 후에 알게 된 사실이지만 할머니는 건강이 좋지 않아 전쟁 중에 손녀 찾을 엄두를 내지 못했던 상황이었고, 삼촌이 유학을 다녀오면서 찾아낸 것이었는데 알고 보니 아주 가까운 곳에 할머니가 살고 있었던 것이다. 바보처럼 코앞에 있었던 할머니를 못 찾고 헤매었던 3년의 시간이 아깝게 생각되기도 하였다. F 자매에게는 고난의 시간으로 여겨졌던 그 시간 동안 평양에 있던 기독교 집안의 사람들이 거의 다 추방당한 것이다. 만약 고아로 지내지 않았다면 분명히 추방당했을 것이다. 물론 여러 번 끌려갈 상황에 처했었지만 실제로 끌려가지는 않았다. 그렇게 평양에서 60년을 살다가 탈북하였다. 어떠한 사람도 자기에게 처한 상황 속에 있는 하나님의 뜻을 다 헤아릴 수 없을 것이다. 오늘 이 시간을 위해 자신을 살려주신 것 같다며 웃음 섞인 진지한 고백을 한 F 자매의 말에 코끝이 찡하였다.

고난이 끝이 아닌 새로운 이야기로 평양에서의 삶이 시작되었지만 또 다른 고난이 찾아왔다. 기독교 집안으로 분류되어 있었던 할머니 집에서 사는 것은 이전과 다른 새로운 고난이었다. 북한당국에서 거의 매일 가택수색을 하였다. 집이 조용한 적이 없었다. 게다가 도청장치까지 설치해 놓고 철저한 감시와 억압 속에서 살아야 했다. 그런 상황 속에 처하다보니 신앙을 표현할 길이 없었다. 가려야 했고, 숨겨야 했다.

솔직히 말씀드릴게요. 저는 자식들한테 전도 못 하고 나왔어요. 아이들에게 말을 해도 못 알아들었을 거예요. 아이들뿐만 아니라 동네 사람들도 서로 그런 이야기를 일체 하지 않았어요. 모든 것이 비밀이었어요. 저도 내색하지 않고 살았어요. 그런 기회는 우리가 만들지 않아요. 우리 가족이 어떻게 될지 모르잖아요. 우리(북한) 체제가 유일적 독재주의 정권이기 때문에 하나님 믿는 것을 제일 무서워하거든요. 그러다 보니 우리 자체가 신앙을 드러내 놓고 생활하지는 않아요.

암호로 주고받는 대화

기독교인은 서로서로 암호 같은 것이 있었다. 말은 안하지만 끄덕끄덕 자기들끼리는 표시를 하는 것이다. 가족에게까지 의심을 받을 수밖에 없는 환경이기에 정말 비밀리에 주고받는 신호였다. 그런 믿음의 동지들은 함께 만나서 아무 말 안하고 서로가 어딘가에서 기도할 수 있도록 지켜주기도 했다. 안개가 자욱해서 가려진 것뿐이지 없어진 것이 아니었다. 그래서 서로 지켜주고 조심하기도 하지만 불쑥불쑥 나타나기도 했다. 하지만 안타깝게도 그럴 때면 대번 끌려가게 되는 것이 평양의 현실이었다.

> 함께 신앙을 지켜주던 친구가 있었어요. 그 친구도 예수쟁이 집이었거든요. 그 아이하고 저하고 말은 안했지만 서로 마음이 통하면 함께 모란봉에 올라가서 기도했어요. 그 친구가 보초 서면 내가 기도하고, 내가 보초 서면 그 친구가 기도하고 그렇게 했어요. 그런데 그 친구가 김일성을 하나님이라고 하는 사람들의 이야기를 듣다가 너무 격분이 되어서 그만 자기도 모르게 하나님은 하늘에 계신다고 말을 해 버린 거예요. 바로 고발을 당했고, 그 뒤로는 보지를 못했어요.

말씀에 순종하는 사람들

시간이 흘러 북한에 고난의 행군 시기가 찾아왔다. 정말 많은 사람들이 굶어 죽었다. 하지만 그런 어려운 상황이 닥쳐오니까 안개 속에 숨어 있었던 신앙이 고개를 내밀기 시작했다. 서로 몰래 신앙생활을 했기 때문에 눈에 띄지 않았던 사람들, 서로가 서로를 모르기 때문에 극히 소수만이 남아 있는 것은 아닌가 하는 불안함과 안타까움이 있을 정도였지만 어려운 시기에 숨어 있는 신앙인들에게 동일한 하나님의 음성이 들렸다. "가서 도우라." 자기 먹을 것도 없어 언제 굶어 죽을지 모르는 고난의 행군 시기에 신앙인들에게 어려운 말씀이었다. 하지만 그 말씀에 순종하는 사람들을 보게 되었다. 그리고 모두 동일한 생각을 하였다. "혼자가 아니었구나."

어려운 시기에 자신의 것을 나누는 사람들이 많았어요. 조금이라도 있는 사람들은 정말 힘든 사람들을 위해서 지정된 장소에 돈을 놓아두었어요. 바람에 날아가버리면 누군가 그냥 주워갈 수도 있는 것인데 그걸 꼭 다시 그 자리에 가져다 놓았어요. 저도 그랬고, 다른 사람들도 그랬어요. 서로 보면서 미소만 지었더랬어요. 저는 지금도 습관이 되었어요. 그래서 무엇인가 떨어져 있으면 절대 안 주워요. 하다못해 돈이 떨어져 있어도 못 줍겠더라고요. 그때 생각이 나서요.

이후 이러한 사람들과 연결이 되어 F 자매는 성경책을 구하게 되었다. 성경책 겉표지는 '안나 카레니나'(러시아 작가 톨스토이의 소설)라고 소련 말이 쓰여 있었다. 이렇게 다들 몰래 신앙생활을 하고 있었던 것이다. 전쟁고아가 되기 전에 봤던 성경책을 받아 들었는데 어떻게 표현을 못 할 정도의 기쁨이 있었다. 그날 저녁 이불을 뒤집어쓰고 전지(플래시)를 가지고 어릴 때 들었던 주기도문을 찾기 시작했으나 처음 펼쳐 본 성경책이라 마태복음 6장을 찾는 것은 쉬운 일이 아니었다. 아쉬운 마음을 뒤로하고 첫 장 첫 절을 읽었다.

제가 창세기를 봤을 때 거기에 이렇게 적혀 있더라고요. '태초에 하나님이 천지를 창조하셨다.' 그때 처음 본 구절이었어요. 그런데 그 말씀을 읽는데 제 가슴이 왈랑왈랑하면서 감격이 되더라고요. '나를 하나님께서 만들었구나' 하는 생각이 드는데 가슴이 그렇게 떨리더라고요. 어렸을 때 엄마에게 들었던 말씀이 이 한마디에 집약해서 설명하고 있다는 것을 깨닫게 되었어요. 예수님이 나를 살려주셨다는 이야기, 하나님께서 다 보고 계신다는 이야기.... 엄마가 나한테 아주 훌륭한 것을 가르치고 가신 거예요.

그루터기는 남아 있다

6.25전쟁이 끝나자마자 평양에 살고 있는 기독교인들을 대대적으로 추방당하기 시작했다. 순차적으로 계속 추방하기 시작했고, 1967년도 북한에서 주민등록을 조사하면서 더 실제적으로 추방시켰다. 그래서 평양 사람들 중 기독교인들은 거의 다 추방되었다. 그리고 새로운 사람들로 평양을 채워가기 시작했던 것 같다. 사람들이 바뀐 것이다. 그런데 신기하게도 그중에 하나님을 믿는 사람들이 평양에 들어왔다. 평양 토박이 사람들 중에 하나님을 믿는 사람들은 추방당했지만 다른 지역에서 하나님 믿는 사람들이 들어온 것이다. 평양에 기독교인을 향한 추방과 처형이 있었음에도 불구하고 하나님께서는 새로운 그루터기를 보내셨고, 그 그루터기들이 남아 있게 된 것이다. F 자매도 새로운 그루터기로 평양에 남아 있을 수 있었던 것이다.

> 저는 할아버지가 기독교인이잖아요. 하지만 할아버지는 해방 전에 돌아가셨고, 저는 서울에 있다가 평양으로 올라간 것이어서 추방 대상에서 항상 제외되었던 것 같아요. 북한에서 교회를 다니고 있었던 사람들은 통째로 추방당했어요. 하지만 외부에서 온 사람들 중에 교회 다니는 사람들은 남아 있을 수 있었던 것 같아요. 조용히 몰래만 있으면요. 그래서 나 같은 사람이 뜨문할 거예요. 숨겨진 기독교인들이 뜨문합니다.

북한당국은 평양의 기독교인들을 추방시켰지만 신기하게도 기독교인은 그대로 남게 되었다. 그들은 평양 토박이 사람들이 아니라 지방에서 온 사람들이었다. 지방에서 온 사람들이 살아남기 위해 자기 성분을 고치는 경우도 있었다고 한다. F 자매의 지인들 중에 기독교인들은 할머니가 많았다고 한다. 딸네 집에 온 할머니들은 대체로 기독교인으로 사위가 신분이 좋아서 사위 덕에 기독교인임에도 불구하고 평양에 살게 되는 경우가 있었던 것이다. 이들을 지하교인이라고 칭하며 자기도 잘 모르는 지하교인들이 많이 있었을 것 같다고 회고했다. 하지만 모르는 일이었다. 누구도 모르게 신앙생활하기 때문이다. 하나님이라는 말은 전혀 입 밖에 꺼내지 않는다. 몰래 신앙생활을 해야 했기 때문에 자녀들에게도 하나님이라는 말은 절대 하지 말라고 가르친다. 그래서 하나님보다는 아버지라고 부르는데 그렇게 하면 다른 사람들이 들어도 뭐라고 하지 않기 때문이다.

F 자매는 어려웠던 북한에서의 신앙생활을 추억하며 북한을 떠나오면서도 차마 복음을 전하지 못했던 자녀들이 눈에 아른거렸다. 홀로 탈북의 여정에 올라 남한에 오게 하심을 감사하면서도 늘 하나님께 떼를 쓰며 하는 간절한 기도는 우리에게 여운을 남겼다. 그때는 함께 있어 주지 못했기에 이제라도 함께하고 싶어 함께 기도하였다. 당장은 갈 수 없으니 그들과 함께 기도하는 것부터가 시작이리라.

하나님, 기독교 집안으로 등록되어서 감시와 통제 속에 살았기에 우리 아이들에게 복음을 전하지 못했어요. 내가 흔들어 놓으면 우리 아이들이 더 위험해질 것 같아서 그냥 왔어요. 지금도 위험한 상황이라 연락을 잘 안하고 있어요. 그러니 내가 하지 못한 전도 아버지께서 해 주세요. 저는 여기서 기도밖에는 할 수 있는 것이 없습니다. 도와주세요.

3. 무명의 신앙인 가족

찬양으로 예수를 만나다

N 자매의 할머니는 일찍 결혼을 하여 16살 때부터 아이를 낳아 22살 때는 자녀가 다섯이 있었다. 본가 집이 어렵다 보니 돈이 없어서 공부를 못 시켰다. 그래서인지 할머니의 찬양소리는 늘 처량하게 들려왔다고 말한다. 어느 날 너무도 좋은 노랫소리가 들려서 어떤 건물 밖에서 머뭇하고 있는데 꼬마 여자아이가 나오더니 들어오라고 하여 건물 안으로 들어가게 되었다. 들어가서 보니 찬송을 하는 것이었다. 찬송하는 소리가 얼마나 좋았던지, 그 다음부터는 늘 그 건물 밖에서 찬양소리를 들었다. 그러다가 꼬마 여자아이의 어머니를 알게 되어 교회를 다니게 되었다. 그때의 나이가 7살이었다. 그 이후로 교회 종소리만 나면 집에서 도망쳐 나와 교회로 달려가게 되었다. N 자매는 찬송소리가 너무 좋았다고 고백하며 370장 '주 안에 있는 나에게'와 피난처에 대한 찬송을 기억하고 있었다.

집안의 어려운 형편으로 공부도 하지 못하고 학교 문턱에도 가보지 못했지만 교회를 통해서 하나님께서 눈과 귀를 열어 주심을 고백한다. 7살이라는 어린 나이에 교회에서 흘러나오는 찬양의 소리에 이끌려 예수를 만나게 되었고 약 10년을 교회 안에서 신앙의 길을 걷게 된다. 그리고 현재 90세에 이른 나이에도 그때의 신앙의 기억을 추억하며 하나님께 감사한 삶을 살아가고 있다.

흩어진 성도들, 고독한 그루터기

지금은 지역의 이름이 어떻게 바뀌었는지 모르겠지만, N 자매는 해방 직전까지 구탄면이라는 곳 벌판에 있는 B교회를 다녔다. 그 지역에 열 가구 정도 살았던 것으로 기억하는데, B교회에 모여 예배하는 성도가 20여 명 되었다. 당시 담임 목사의 성은 '옥'씨인데 더 이상은 기억이 나지 않는다고 한다. 그 교회를 7살 때부터 다니기 시작했는데 18살 해 방이 되었을 때 교회가 없어졌고 섬기던 목사님과 많은 성도들도 자취 를 감췄다. 당시 '김'씨 성과 '최'씨 성을 가진 집사가 있었는데 이들도 해방 후에 볼 수가 없게 되었다. 해방 전 1942년경에 일본에서 처녀공출 이라고 하며 각 마을에 처녀를 잡아가는 일이 있었는데, 할머니께서 N 자매를 보내지 않기 위해서 그해 1월에 시집을 보냈고 당시 나이가 15, 16세 정도였다.

어린 나이에 시집을 가서도 교회를 꾸준히 다니며 신앙의 끈을 놓지 않았다. 처음에는 교회 다니는 것을 시아버지가 용납을 하였지만 한 해 정도의 시간이 흐르고 나서 교회 책임자들은 교회에서 뵈는 여자들을 모두 데리고 사는 나쁜 놈이라고 욕하면서 교회를 못 나가게 하였다.[6] 또 시누이는 교회를 다니는 N 자매의 다리를 꺾어버리라고 시어머니와 남편에게 이야기하며 교회에 나가는 것을 핍박하였다.

그래도 꾹 참고 혼자 계속 교회를 다니며 기도를 하는데, 해방되기 2 년 전인 1943년 남편이 N 자매를 따라 교회를 나오게 되었다. 교회에 가자고 전도를 한 것도 아닌데 함께 교회를 나오게 되어 "아버지 하나님 감사합니다" 하며 기도를 하였다. 그때를 생각하면 남편이 교회를 따라 나온 것이 신앙이 있어서가 아니라 N 자매 자신을 감시하기 위해서였던 것 같다고 말한다. 1945년 해방이 되었고, 시아버지께 교회 목사가 해방 도 되고 N 자매 가정에 심방을 오기를 원하는데 괜찮은가를 물어보았더 니 시아버지께서 흔쾌히 허락을 해 주셨고, 목사를 포함하여 심방 오는 3분을 위해서 닭도 잡고 이밥도 하여 기분 좋게 대접하였다. 그리고 나 선 말 많던 시누이도 교회에 나오게 되었다. 그러면서 집안에서 N 자매

---

6) N 자매는 당시 교회를 교회라고 부르지 않고 '회당'이라고 불렀다며 인터뷰 동안에는 교회를 회당이라고 지칭하여 말했으나, 여기서는 '교회'로 서술하 였다.

를 괄시하고 힘들게 하는 것은 없어졌지만 안타깝게도 시아버지는 끝내 교회에 나오지 않았다.

그러나 기쁨도 잠시 해방이 되고 얼마 지나지 않아 교회에 나가지 못하게 되었다. 1945년에 해방을 맞이하고 1946년에 교회 종을 북한당국에서 떼어갔다. 당시 N 자매가 다녔던 B교회는 잎사귀가 넓은 아름드리 나무 6그루가 교회를 빙 둘러싸고 있었는데, 종을 떼어가더니 그 나무를 다 뽑아버리고 교회건물을 기계와 망치로 허물어버렸다.

또한 해방이 되면서 함께 예배드렸던 성도들도 다 흩어져 없어지게 되었다. 북한당국에서 강제적으로 이주, 추방을 시킨 것인지, 아니면 다른 곳으로 이사를 간 것인지는 아직도 모른다. 기억나는 이름 중에 '김예찬'인가, '김웅찬'인가 하는 사람이 있었는데 그 집에 아들이 4명이 있었다. 하루는 N 자매가 그 사람에게 목사님과 성도들의 근황을 물었는데 하나도 없다는 대답을 들었다. 그리고 나선 그 가족들도 하루아침에 어디론가 사라져버렸고 결국 마을에서 교회를 다녔던 사람은 N 자매 혼자만 남게 되었다. N 자매는 1952년 평양에 들어가기 전까지 혼자 남게 되었다. 사실 해방이 된 후부터 탈북하기까지 겉으로 신앙을 드러내지 못하고 속으로만 하나님을 찾는 고독한 그루터기 신앙인의 모습으로 살아갔다.

혼자만의 신앙의 길을 걷다

그럼에도 신앙의 그루터기들은 남겨두서서 해방이 되고 약 2년 정도는 4-5명이 모여서 하나님께 몰래 예배를 드렸다. 그러나 함께 예배드렸던 이들도 잡히고 하나둘 사라져갔고 N 자매 자신도 잡혀가겠다는 위기의식을 느끼고 그 후로 겉으로는 드러내지 않고 속으로만 주를 바라는 철저한 그루터기 신앙인으로 살아가게 되었다. B교회를 다니며 보았던 한문 성경책은 집에 돌기둥 지지대 밑에 숨겨 놓았다. 그러나 그렇게 숨겨 놓았던 성경도 평양으로 들어갈 때는 버릴 수밖에 없었고 탈북할 때까지 철저히 홀로 선 신앙생활을 하였으며 자녀들에게조차 복음을 전하지 못했다.

그럼에도 혼자 있을 때 중얼중얼 기도를 하고 집안일을 하면서 찬양을 읊조렸다. 그러다 자신도 모르게 소리가 커져서 그 소리를 큰 딸과 며느리가 듣고 자신의 신앙을 눈치 챘다. 지금 큰 딸은 72세로 동북지역에 살고 있는데, 그래도 어미로서 딸을 믿기에 집에 사람이 아무도 없으면 찬송을 더러 부르고 B교회에서 배운 찬송도 하고 그랬다. 그럴 때마다 큰 딸은 예수 노래한다고 뭐라고 했고, 며느리도 어느 정도 알았던 모양이다.

N 자매보다 먼저 탈북한 며느리는 한국에서 먼저 집사가 되었다. 며느리는 지금도 북한에서의 삶을 기억하며 N 자매가 북한에서 집안일을 하며 불렀던 예수 노래를 한번 불러 달라고 말하기도 한다고 한다. N 자매는 지금도 17살 때의 신앙을 생각하며 그때 배운 찬양을 정확히 기억하고 인터뷰하는 중에 직접 불러 주었다. 어디에서도 찾아볼 수 없는 우리 선조들의 귀한 신앙의 유산을 생각하며 다음의 찬양 가사를 묵상하며 살펴보았으면 한다.

> 가가갸 거거겨 가사무에 거룩한 십자가 올려놓고.
> 고고규 구규규 고락간에 구원의 복음을 전해보세.
> 나냐냐 너녀녀 나의갈길 너무나 멀다고 염려마라.
> 노노뉴 누뉴뉴 너한테에 누구라 방주를 예비했나.
> 다댜댜 더뎌뎌 달음박지 더니나 하면은 떨어진다.
> 더뎌뎌 두듀듀 돌을들고 두말을 말고서 따라오라.
> 라랴랴 러려려 라마소리 루루루 주제림 생각한다.
> 러려려 루류류 러룩말고 구하여 살기를 기도하라.
> 마먀먀 모며며 마귀전에 머물지 말고서 따라오라.

머며며 무뮤뮤 모진광풍 무서운 바람이 앞을막네.
바뱌뱌 보벼벼 바라보니 오로지 성경을 누가썼나.
보벼벼 부뷰뷰 보배피와 부활과 승천은 우리복락.
사샤샤 서셔셔 사랑하세 서양과 동양을 사랑하세.
소셔셔 수슈슈 소나무는 수천년 가도록 제일이라.
자쟈쟈 저져져 자랑하세 저숫자 공로를 자랑하세.
저져져 주쥬쥬 조중말고 주안에 살기를 기도하라.
차챠챠 처쳐쳐 차세상에 처하여 살기가 어렵구나.
처쳐쳐 추츄츄 초록인생 춘풍에 낙엽이 쓰러진다.
타탸탸 터텨텨 타락말고 토다꾸 위에다 집을짓세.
터텨텨 투튜튜 토둑말고 구하여 살기를 기도하라.

이 정도의 기억력을 갖고 있으려면 매우 어린 시기에 신앙교육을 반복적으로 받아야만 가능할 것이다. 교회의 주일학교 교육만으로 그것이 가능했을지, 가정예배를 드린 집안이라면 매일 예배를 드리면서 찬양을 반복적으로 했을 것 같다. N 자매는 교회에서 배운 것으로 기억하는데 기억력이 비상하거나 다녔던 교회가 남다른 교회였을 것으로 짐작된다.

추방을 당하다

1952년에 평양에 들어가서 잘 살고 있었다. 그런데 어느 순간 갑자기 예수를 믿는다는 죄목으로 함경도 온성으로 추방당하게 되었다. 처음에는 해방이 되고 나서 겉으로 예수님을 믿는 것을 드러낸 적이 없는데 어떻게 20여 년이 지나서 갑자기 예수를 믿는다는 죄목으로 온성으로 추방당하게 되었는지 의문이 들었고 그래서 북한당국에 이러한 처사는 잘못되었다고 10여 년 가까이 해명을 하러 여러 곳을 돌아다녔다.

그런 중에 어떻게 추방당하게 되었는지를 알게 되었는데, 1950년 한국전쟁이 일어나면서 아버지는 첩자라는 누명을 받고 북한당국에 의해 죽임을 당했다. 그리고 아버지에게는 두 명의 형제가 있었는데 그 형제의 딸 중에 H라는 언니가 N 자매를 신고하여 평양에서 함경도 온성으로 추방당하게 된 것이다. 사촌 언니가 N 자매가 예수를 믿는 사람이라고 밀고하여 추방에 이르게 된 것인지는 알 수가 없었다. 약 20년 전의 어린 시절 신앙까지 집요하게 추적하여 추방하는 모습에서 당시 엄청난 두려움에 휩싸였을 그루터기 신앙인들의 상황이 그려진다.

"북한에서 신앙생활 못 해요"

인터뷰 중에 '그래도 지금까지 북한에서 믿음 생활을 하며 신앙을 갖고 살아가는 사람이 있겠죠?'라는 질문에 N 자매는 다음과 같이 이야기한다.

신앙생활을 어떻게 해요? 북한에서 못 하지. 나는 지금 무슨 지하교회가 있다고 하는데 바로 듣지도 않아요. 내가 1950년도 한국전쟁 중에 평양에 많이 다녔어요. 또 1952년도에 평양에 들어가서도 교회를 찾으려고 많이 힘쓰고 그랬는데도 못 하겠더라고요. 아무것도 없던데요. 내가 다니던 평양시에 속한 권역거리라는 데가 산골짜기인데 집이 몇 동 있는데 거기서 모였거든요. 처음에는 5명이 모였던 것이 3명이 모이고 그렇게 하던 것이 그 다음에는 안 모였어요. 모일 사람이 없어서 수도 공사할 때 쓰는 구리판으로 된 외나무다리를 건너서 다른 동네로 갔는데 그 집까지 없어졌더라고요. 그래서 그러고는 말았어요. 북한에서 신앙생활 못 해요.

자신은 어떻게 신앙을 유지했지만 북한에서 신앙생활을 할 수 없다고 말하는 N 자매의 심정이 그대로 전해졌다. 아무리 훌륭한 신앙의 가문이라 하더라도 남은 가족들이 신앙을 지키면서 산다는 것이 그만큼 어렵다는 의미로 들렸다. 그러한 혹독한 상황 가운데서도 N 자매가 신앙을 유지할 수 있었던 것이 기적이다. 그처럼 고독한 신앙의 길을 걸어왔던 자매가 한 말, "북한에서 신앙생활 못 해요"라는 그 말이 가슴 짠하게 다가왔다.

4. 증조할아버지 때부터 신앙 가족

4대째 믿음의 가정

냉혹한 상황 가운데서도 4대째 믿음을 지킨 E 자매의 가정 이야기다. 증조할아버지 때부터 시작하여 할머니와 아버지로 이어진 신앙은 결국 보위부에 의해 증조할아버지와 아버지, 고모까지 다시는 얼굴을 볼 수 없는 곳으로 끌려가고 남은 가족들은 산골 오지로 추방되었다. E 자매가 태어났을 때는 이미 증조할아버지, 친할아버지는 보위부에 붙잡혀 가셔서 돌아가시고 안 계셨고 할머니만 계실 때였다. 그래서 할머니에 대한 기억밖에 없다고 한다. 할머니는 침례교회에 다니셨는데, 예배를 드리시다가 김일성 정권이 들어서면서 숙청되어 내려오신 케이스이다. 그리고 함께 숙청되어 온 분들이 계속 연결고리가 되어서 주일이면 모여서 예배를 드리곤 하셨다.

멀리서도 오고, 주일마다 모여서 예배를 드렸다. 북한의 공휴일은 한국처럼 일주일 단위로 쉬는 게 아니라 열흘 단위로 쉬는데 열흘이 지나면 쉬는 날이 주일이 아니고 평일이 되기 때문에 예배를 드리러 오는 분들 중에 쉬는 날에 안 쉬고 주일날에 쉬기 위해서 미리 일을 하고 왔다. 그래서 그 시간을 비웠다가 토요일 저녁에 와서 집에서 자고 다음 날 같이 예배를 드리고 갔는데 적게 오면 5-6명 정도이고, 많이 오면 7-10명 정도가 예배를 드렸다.

이에 대해 어떤 이들은 북한에서 여러 명이 모여서 예배를 드릴 수 있는 것이 가능한가라고 생각할 수 있을 것이다. 감시가 심한 북한에서 정기적으로 사람들이 모여서 어떻게 예배를 드릴 수 있을까 하는 생각이 들 수도 있을 것이다. 이에 대해 E 자매는 아버지가 많은 사람을 만나고 집에 많은 손님이 오는 직업을 가지셨기 때문에 가능하다고 말한다. 그래서 많은 사람들이 정기적으로 집에 찾아와도 주위 사람이나 당국에 큰 의심을 받지 않았었다.

이러한 이유로 집에 많은 사람들이 드나들었고 사람들이 예배를 드리러 올 수 있었다. 그리고 김일성 시대 때는 열차가 잘 다녀서 멀리 계신 분들도 매번 오실 수 있었고, 그때마다 집에서 주무시고 주일 아침에 작은 방에 들어가서 동그랗게 머리를 맞대고 조용조용 예배를 드리실 수 있었다. 아버지 직업상 많은 이들의 왕래가 있다 할지라도 혹시 모를 일에 대비해서 예배를 드릴 때는 E 자매는 밖에 나가서 망을 보았다. 집에는 문이 앞뒤로 있었는데 대문 앞은 길이기 때문에 그 길에서 노는 척하면서 망을 보았다. 그러다가 다른 사람들이 집으로 오는 것 같으면 "할머니, 할머니. 누구 와요"라고 집으로 뛰어들어가 할머니에게 말하면 예배드리던 분들이 다들 각각의 방으로 흩어지시고 아버지는 집 안에 있는 작업장에서 일을 하는 것처럼 하셨다.

한번은 어린 나이의 E 자매가 놀면서 망을 보다가 노는 것에 정신이 팔려서 집 대문 앞까지 사람이 온 것을 못 봐서 급하게 할머니께 정신없이 뛰어가서는 제 딴에는 자연스럽게 오시는 분이 눈치 못 채게 할머니에게 "오신다고, 와요" 하며 손짓을 한 적도 있었다고 한다. 지금도 그 생각만 하면 아찔하다.

북한의 예배 모습
예배를 드릴 때는 할머니께서 인도하셨다. 할머니께 한자어로 된 성경이 있었고, 아버지에게는 한글 성경이 있었다. 말씀을 전할 때는 할머니가 성경책을 보시면서 말씀을 전하셨다. 다른 분들은 성경책이 없었는데, 할머니께서 자필로 성경말씀을 쓰시고 그것을 같이 나누어 보셨다. 그리고 다음 주일이 되면 할머니께서 자필로 쓰신 성경말씀을 서로 돌려 보았다.

찬양을 부를 때도 거의 다 들리지 않을 정도로 조용조용 불렀는데, 찬송가 중에 할머니께서 가장 즐겨 부르셨던 찬송은 455장 "주 안에 있는 나에게 딴 근심 있으랴"를 많이 부르셨다. 집 안에 성경책이 있는 것을 다른 사람에게 들키면 안 되기 때문에 할머니께서는 가지고 계신 성경책을 그 당시 양말을 넣어서 보관하였던 바구니 밑에다가 성경책을 보에 싸서 가장 밑바닥에 놓고 그 위에 양말에 헝겊, 천 조각들을 올려 놓아 창문 밑에 늘 그렇게 놔두시고 보시는데, 할머니께서 돋보기를 끼시고 성경을 보시다가 손님들이 들어오는 기척이 들리면 다시 성경책을 양말 바구니에 넣어 놓으셨다.

할머니의 신앙생활

E 자매의 할머니는 무릎이 나온 바지, 양말도 기워 입고 신으면서 본인에게는 돈 한 푼 쓰지 않았다. 아버지나 자녀들이 용돈을 드리면 그 돈을 다 꼬깃꼬깃 접어 모으셨다가 예배를 드리러 오신 분들이 돌아가실 때 차비로 쓰라고 십일조를 드리셨던 섬김의 신앙인이었다. 한국에서는 찬송가 455장 "주 안에 있는 나에게"를 부를 때 즐거워하고 기뻐하며 고백하지만, 할머니는 이 찬송을 부르실 때마다 가사 하나하나가 자신의 마음이고 고백이고 아픈 상황이기에 늘 눈물을 흘리며 찬송하셨다.

E 자매의 어린 시절은 이중생활이었다. 가정에서는 할머니를 통하여 하나님의 말씀을 듣고 학교 가서는 김일성에 대해서 배우고 김일성의 교육을 받았다. 그러나 학교를 다녀오면 할머님께서는 손주들을 앉혀 놓고 성경말씀을 읽어 주시고 말씀해 주셨다. 성경이 한자어로 되어 있어

서 손주들이 비록 읽을 수는 없었지만 할머니께서 성경말씀을 해 주시고, 기도해 주시고 찬송가도 알려 주셨다.

비록 어려서 들은 말씀이라 많은 것은 생각이 나지 않지만, 살찐 황소 일곱 마리와 여윈 황소 일곱 마리의 꿈을 해석하는 요셉 이야기, 쭉정이와 알곡에 대한 이야기로 주인이 와서 여문 것만 가져가고 쭉정이는 불태워버린다는 말씀을 기억하며 할머니께서 손주들에게 "너네는 예수님 말씀대로 꼼꼼히 준비를 하여서 예수님이 오셨을 때 다른 사람들은 안 데려가도 너희는 꼭 예수님 손잡고 같이 갔으면 좋겠다. 예수님 꼭 믿었으면 좋겠다"고 가르쳐 주신 말씀을 기억하고 있었다.

그리고 할머니 주무시는 뒤편에 창문이 있었는데, 말씀하실 때마다 이 세상의 것은 헛것이니 김일성, 김정일 믿으면 절대 안 된다고 하시며 창문 밖에 별들을 가리키시며 저기 하늘나라 가야 된다고 말씀하셨다. 할머니께서 계속 저기(하늘나라) 가야 한다고 하실 때마다 목이 메어 말씀을 잘 못하시고 눈물을 삼키셨다. E 자매가 기억하는 할머니는 늘 하늘나라를 갈망하는 신앙인이었다고 말한다.

"이 땅의 것은 한낱 부질없는 것이요. 우리의 본향은 저 천국일세"라고 우리는 늘 입버릇처럼 고백하지만, 우리의 삶은 이 땅이 본향인 것처럼 살고 있을 때가 많은데 북한의 남겨진 많은 그루터기 기독교인들이 늘 본향(하늘나라)을 바라며 이 땅의 것을 소망하지 않고 신앙생활하듯 우리도 그러한 신앙의 모습을 가져야 할 것이다. 풍요 속에 빈곤이라는 말처럼 우리의 모습이 신앙의 풍족함 가운데 있지만 정작 신실한 믿음의 풍요로움으로 열매 맺지 못하고 있는 것은 아닌지 살펴야 하리라.

예배 중에 끌려간 아버지 그리고 심문

E 자매의 부모님들은 추방된 지역에서 만나 결혼하였다. 증조할아버지로부터 기독교 집안이라는 낙인이 찍혀 산골 오지로 추방되어 왔는데

아버지 쪽 집안도 같은 이유로 추방되어 왔다. 그런 중에 함께 예배를 드리며 자녀를 결혼시키자는 혼사가 오갔고 결국 양가 어른의 뜻으로 결혼을 하셨다.

이러한 신앙의 계보 가운데 시간이 흘러 어느 날 E 자매(당시 12살)가 학교 수업을 마치고 집에 왔는데, 학교를 마치고 집에 오면 늘 마중을 나오시던 아버지의 모습을 볼 수가 없었다. 아버지 작업실에 들어가도 볼 수가 없었고 할머니, 어머니에게 아버지가 어딜 갔냐고 물으니 너무 우셔서 눈이 빨갛게 된 어머니께서 보위부에서 4명이 나와서 아버지 작업실을 다 들추고 수색하는 가운데 아버지께서 작업실에 놔두시고 보시던 한글 성경을 찾게 되었고 그것이 증거가 되어서 잡혀 가셨다고 말해 주셨다. 그리고 그 후로 아버지를 볼 수가 없게 되었다.

아버지가 붙잡혀 가고, 남아 있는 가족 모두가 보위부로 끌려가서 조사를 받았는데, 조사를 받던 중에 성경에 대한 심문에 대해서 계속 모른다고 했다. 할머니께서 말씀하시길 보위부에 가서 조사를 받을 때 성경에 대해서는 일체 모른다고 잡아떼라고 하셨기 때문이었다. 그냥 아버지가 일을 하는데 직업상 필요한 책을 보시는지 알았다고 이야기를 하고 성경책인지는 몰랐다고 계속 잡아뗐는데, 그러니깐 E 자매 집을 도청한 다른 도청기록을 들려주며 심문을 하였다.

아버지가 보위부에 끌려가고 그 충격으로 보름 만에 할머니가 돌아가셨다. 그때 고모가 왔었는데, 고모가 와서 할머니 산소에 갔다가 어머니와 조카들을 앉혀 놓고 "형님 나는 준비 다 됐소, 이제 내가 고향 집에 돌아갔을 때 보위부에서 나와서 나한테 물어보면 내 대답은 '준비가 다 됐소'이고 형님은 이제 저 어린 것들을 데리고 앞으로 갈 길이 험한데 믿음으로 눌리지 말라"고 말씀하셨다. 그리고는 그 다음 날 집으로 돌아갔는데, 집에 도착하니 이미 보위부에서 와 있었다. 보위부에서 고모에게 "오빠가 이렇게 해서 갔는데, 너도 하나님 믿느냐? 네가 하나님 부인하면 안 데리고 가겠다"고 말했는데, 고모가 "나는 하나님을 믿는다" 해서 그 자리에서 데리고 갔고 그 이후로 고모 소식도 전혀 듣질 못하게 되었다.

많은 사람들이 아버지가 붙잡혀 간 후에 하나님 원망하는 마음이 들지 않느냐고 질문을 많이 하는데, E 자매는 원망할 틈이 없었다고 말한다. 북한의 분위기상 원망할 시간이 없고, 앞으로 어떻게 해야 할지가 생각이 났다. 항상 할머니께 들었던 얘기가 "우리는 이 세상에서 살 사람들이 아니다. 하늘나라에 갈 거니깐, 사람은 한 번은 죽는다"라는 말을 귀에 못이 박히도록 들었기 때문에 오히려 크게 걱정을 안 했다고 고백한다.

추방 후 신앙생활, 두려운 나날들 그리고 어머니의 위로

아버지가 붙잡혀 가셨을 때 어떻게 될지 몰라 할머니가 자필로 쓰셨던 성경과 보시던 한문 성경을 비닐에 싸매서 밭에다가 묻었었는데, 할머니가 돌아가시기 전날에 남은 가족들을 한 자리에 다 앉혀 놓으시고 밭에 묻어 놓았던 성경을 다 꺼내 와서 할머니가 죽고 나서 이것도 보위부가 발견할 수 있을지 모른다고 말씀하시며 "하나님을 향한 우리의 마음만 변치 말고 있으면 된다"고 말씀하시며 집 안의 모든 성경을 부엌 아궁이에 태우시며 할머니와 어머니가 많이 우셨던 기억이 난다고 말한다.

그 후 남은 가족들은 산골 오지로 추방되었다. 넓은 집에서 좁은 단칸짜리 집으로 가게 되었는데 그래도 살려주셔서 감사하다고 생각했다. 추방된 지역은 산골로써 네 면이 다 산으로 막혀 있어서 해가 늦게 뜨고 해가 일찍 지고 그러한 곳이었다. 처음에는 죽이지 못해서 추방했구나 생각을 하였지만, 점차 있으면서 고난의 행군 시기에 많은 사람들이 굶어 죽게 되었고 추방되기 전에 살던 곳에서도 굶어 죽는 사람들이 속출함을 듣게 되었는데, 추방된 곳은 산골짜기여서 밭을 일구어서 곡식을 얻을 수도 있고 하여 먹고 살 수 있게 되어 하나님께 미리 아시고 보내 셨다고 생각하며 감사했다. 비록 아버지가 붙잡혀 가시고 할머니는 돌아 가시고, 고모도 붙잡혀 가고, 예배를 드리러 오시던 분들과의 연락도 모 두 끊어졌는데, 정확히 알 길은 없지만, 함께 예배드렸던 이들을 군인들 이 밤에 아오지로 데리고 갔다는 소문이 돌았다. 기독교 집안이라는 낙 인이 찍혀 산골 오지로 추방되었음에도 E 자매 가족은 그곳에서도 신앙 의 끈을 놓지 않고 이어갔다.

아버지의 성경책은 보위부에서 모두 가지고 가고 할머니의 자필 성경 과 한자 성경은 추방되기 전에 모두 불태워 볼 수 없는 상황 속에서도 추방되어 힘들 때마다 할머니께서 들려주신 하나님 말씀을 기억하며 E 자매의 언니가 깨알같이 작게 써서 돌돌 말아가지고 이불틈새에 끼워 넣고, 너무 힘들고 어려울 때 언니와 그것을 다시 꺼내서 밖에 나가서 몰래 함께 보며 신앙을 이어갔다. 그러면서도 순간순간 자신들도 끌려 갈까 봐 늘 조바심 나고 두려워했다.

E 자매는 그 당시의 두려움을 다음과 같이 고백한다.

어떤 사람이 잘못해서 정치범으로 끌려가거나 하면 그 가족을 쥐도 새도 모르게 밤에 데리고 갔었는데, 이제 우리 집도 데리고 간다는 것이다. 그런데 죽이려면 총알이 드는데 그것도 아까우니 깐 생물학 연구소에 생체실험 대상으로 쓰려고 데리고 갈 것이라 는 소문을 들었다.

일단 할머니께 들은 것은 인생은 한 번은 죽는다고 했으니깐 우리는 죽지만 천국에 간다는 희망이 있으니깐, 이렇게 죽든 저렇 게 죽든 죽는 것은 확실한데, 그렇게 죽는 것이 참 공포스러웠다.

그런데 더 공포스러웠던 것은 밤이면 차 소리가 '부릉부릉' 들 리는데 북한은 차가 많지 않은 것이다. 시골이고 산골이면 차가 올 일이 없는데, 밤에 차 소리가 나면 자려고 누웠다가도 '때가 되었나 보다, 우리 데리러 왔나 보다' 이런 생각을 했다.

들렸던 소문이 우리 가족이 생체실험에 쓰인다고 들었기 때문에, 어떤 사람들은 저희 집 굴뚝을 보며 연기가 안 나면 데리고 간 것으로 본다고 했다. 그래서 우리는 늘 준비를 했다. 일단 가야 하니깐, 언제 가도 가야 하니깐, 일 끝나고 저녁에 들어와서는 이불 하나 쌓고, 그릇 가지들을 하나씩 이불 사이에 깨지지 않게 끼워 넣었다. 그렇게 준비를 늘 하고 있었다. 밤에 차가 부릉부릉 하면 갈 때가 됐구나 하고 생각을 했다.

그럼에도 그때마다 큰 힘과 위로가 되었던 것은 어머니의 말씀이었는데, 어머님께서 그럴 때마다 등 두드려 주시며 "괜찮다, 괜찮다" 말씀하시며 "할머니, 아버지가 먼저 하늘나라 가서 우리를 내려다 보며 기도하고 있다는 것만 생각해라. 그리고 인생이 한 번은 죽는데 이렇게 죽든 저렇게 죽든 어차피 죽는데 무엇을 걱정하느냐, 단지 또래보다 먼저 가는 것뿐이고 그래도 우리는 천국에 가지 않냐"고 다독여 주셨다.

중국에서 예배의 감격을 맛보다

하루하루 두려움 속에 살다가 아버지가 보위부에 끌려가시고 10년의 시간이 지난 어느 날 아버지께서 중국을 왕래하면서 알게 된 조선족 목사님께서 가족들의 상황을 듣고 사람을 보내어 연락을 하셨다. 30대쯤 되어 보이는 아가씨가 계속 찾아와 중국의 목사님이 연락을 하고 싶다고 메시지를 전달해 주었지만 보위부의 덫이라 생각하여 처음에는 거부하다가 "밑져야 본전이다"라는 생각에 결국 전화 통화를 하였는데, 목사님이 "내다, 잘 지내냐?" 물으시며 우리 어머니의 이름도 정확히 기억하며 옛 집의 구조도 이야기를 하셔서 확인을 하였다.

그렇게 확인을 하고 나니 목사님께서 중국으로 넘어오라고 말씀하셨다. 그러나 어머니 홀로 북녘 땅에 두고 떠나는 것이 마음이 걸렸으나,

목사님은 젊을 때 와서 넓은 세상에서 뭔가를 배우고 아버지의 뒤를 이어서 더 많은 일을 해야 하지 않겠냐고 계속 설득하셔서 어머니께 말씀을 드린 후 다시 답을 드리기로 하고, 어머니께 말씀을 드렸더니, "그냥 가라, 나는 늙었으니깐 가라, 너희만이라도 안전하게만 있어라" 하며 보내어 주셨다. 당시 어머니와의 이별 가운데서 소리 내어 울지도 못하였다. 울면 도청이 될 것 같고 밖에서 울면 사람들이 보고 의심할 것이기 때문에 어머니 손만 잡고 눈물만 주룩주룩 흘리다가 어머니가 가라고 해서 문을 열고 나왔다.

김일성 생일(4월 15일) 공휴일에 친척집에 가서 먹을 것을 구해 온다고 하며 두만강을 건너 중국의 목사를 만나 2달 반을 중국에서 있게 되었다. E 자매가 중국에 도착한 다음 날이 수요일이었는데, 목사가 수요예배를 드리러 가자고 했다. 목사가 "저기가 우리 교회다"라고 했는데, 교회건물에 십자가 불이 켜져 있고 가까이 가니깐 찬양소리가 건물 밖에까지 울려 퍼짐을 들을 수 있었다. E 자매가 늘 보았던 예배는 숨죽이고 머리를 맞대고 찬양의 소리조차 새어 나가지 않게 조용히 부르며 예배를 드렸는데, 건물 밖에서부터 찬양소리가 들리니 놀라웠고 교회 안으로 들어가자 찬양팀이 율동하며 찬양을 하고 있었다.

신발 벗고 들어가는 순간부터 그냥 예배 내내 계속 울었다. E 자매가 경험했던 북한에서 숨죽여 드렸던 예배가 아니고, 할머니와 아버지가 김일성 정권 들어오기 전까지 이렇게 예배하고 찬양했을 텐데 숨죽여 예배를 드릴 때 얼마나 이러한 예배가 그리웠을까 하는 생각에 마음이 아파서 울었다고 고백한다.

마음은 늘 북녘 땅을 향하며

탈북하여 한국으로 입국한 E 자매는 북한에 남아 있는 어머니와 가족들의 고통을 생각하며 그들에게 부끄럽지 않기 위해서라도 열심히 살았다고 고백한다. 탈북하고 1년 동안은 어머니와 가족들을 데리고 오기 위해 많은 노력을 했었다. 그러나 그 길이 열리지 않았다. 그런데 놀라운 것은 오히려 하나님께 맡겨 드리고 나니 1, 2년 지나고 어머니와 남은 가족들이 탈북을 하였다는 전화를 받게 되었고 지금은 감사하게도 가족들이 이 땅에서 신앙의 자유를 누리며 살게 되었다. E 자매는 지금도 이렇게 고백한다.

> 진짜 걸어 다닐 때도 제가 여기서 걸어 다닌다는 것 자체가 그냥 눈물이 핑 돌아요. 걷다가도 이것이 꿈인지 생시인지 모르겠다는 생각을 합니다. 지하철이나 버스를 타고 가다가도 고층 빌딩들을 보면서 내가 지금쯤 이 시간 북한에서는 뭐하고 있어야 하는데 하는 생각이 들면서 믿어지지가 않아서 더 열심히 감사히 살아야지 하는 생각을 합니다.

그러면서 E 자매는 "북한이란 놓을 수 없는 자식 같은 존재이다. 통일되는 그날까지 품고 기도해야 하는 아픈 존재이다"라고 말하며, 통일이 되었을 때 신앙인들이 북한 땅에 들어가게 될 텐데 그 못자리 역할이 자신의 사명이라고 믿으며 북한선교에 헌신하는 길을 걷고 있다고 고백한다.

제3부

생존, 그 이후

제6장

그루터기 가족 역사로 본
북한교회사

1. 처형과 추방

교회에 대한 북한당국의 탄압은 기독교 지도자들에 대한 처형과 투옥, 그리고 추방 등 다양하게 진행되었다. 제2장에서 언급한 것처럼 수백 명의 교회지도자들이 처형을 당하였고 투옥되었다는 것이 정설로 되어 있다. 교회와 사회주의 정권이 정면으로 대립하였고 또 교회지도자들이 조선민주당을 결성하여 정치적 영향력까지 갖고 있었으니 사회주의 정권이 북한의 교회에 대해 조직적인 탄압을 전개했을 것이라는 사실은 짐작이 가고도 남는다.

그러나 10가정의 면담에서 기독교인들에 대한 처형과 투옥이 구체적으로 어떻게 진행되었는지를 파악하기 쉽지 않았다. 오히려 K 장로의 경우처럼 6.25전쟁 때 처형된 것으로 알려졌던 교회지도자 중 실제로는 처형되지 않고 최근까지 생존하며 신실한 신앙의 삶을 살았던 사례가 보여 주듯 처형과 투옥의 패턴을 일방적으로 주장할 수는 없을 것 같다.

김익두 목사처럼 직접 피살된 경우가 있는가 하면, I 목사처럼 투옥되어 감옥에서 10년 수감생활을 하다 사망한 경우도 있고, 김성률 목사처럼 북한에 협력하며 특별한 배려를 받아 개인적인 신앙생활을 유지한 경우도 있기 때문이다. 장로 가정 중에도 처형된 경우가 있는가 하면 손자에게까지 신앙교육을 해 주었던 사례가 있고 또 전혀 신앙생활을 하지 않으며 살아남은 가정도 있다.

추방에 관하여서도 1958년을 기점으로 대대적인 추방사업이 전개되었다. 유일사상체계 확립 작업을 추진하던 1967년에도 추방이 진행되었다는 증언이 있었으나 이때에는 다른 정치적 맥락에서 추방이 이루어졌고 기독교인들에 대한 추방은 1958-1960년에 집중적으로 진행된 것 같다. 그러나 추방이 어떤 단계로 이루어졌는지, 주로 어느 지역으로 추방이 이루어졌는지 등 추방과 관련하여 전모를 파악하기에 충분하지 않았다. 평남 R교회 장로 가정처럼 추방되지 않고 그곳에 계속 살면서 신앙의 가문을 유지한 가정이 있으나 대체로 기독교인들은 평양에 거주하다 온성 등 함경북도 지역으로 추방당하였다. 원산과 함흥 등 지방도시에서 추방된 경우도 있었지만 대부분 평양에 거주하던 사람들인 것으로 볼 때, 다수의 기독교인들이 평양에 거주하다 동북지역으로 추방된 것으로 보인다. 추방지에서 혹독한 생활에도 불구하고 한 가족을 제외하고는 모두 신앙생활을 지속하기 위해 갖은 노력을 기울였다. 그러다 신앙활동이 발각되면 거기서 다시 더 오지인 2차 추방지로 옮겨지거나 정치범 수용소로 보내졌다.

또 우리가 면담한 사람들은 추방지에서 탈출하여 한국으로까지 올 수 있었던 사람들인 만큼 추방지에서 평생을 보내고 있는 많은 가족들에 비하면 예외적인 경우라 할 수 있다. 알려진 바로는 추방지로 보내지면 거기서 평생 밖으로 나오지 못하고 대대로 그곳에서 살도록 되어 있다. 그러나 추방지에서 돌아온 가족들도 있는 것으로 파악된다. J 권사는 평양에서 단계적으로 기독교인들을 추방하여 평양의 기독교인들은 거의 추방된 것으로 생각한다. 그러나 평양에 남을 수 있었던 J 권사 가족은 지방에서 새롭게 들어온 사람들 중에 기독교인들이 많았고 그들과 암호로 대화를 주고받았다고 한다.

추방된 기독교인들의 사면과 관련한 몇몇 증언들은 이런 점에서 주의 깊게 살펴볼 필요가 있다. 제2장에서 언급한 바와 같이 1972년과 1980년에 기독교인들에 대한 대규모 사면이 있었다고 하는 증언이 있는데, 이러한 증언이 사실이라면 지방에서 평양으로 새로 들어온 사람들 가운데 기독교인들이 많았다는 J 권사의 증언과도 일치한다. 추방된 기독교인들이 과거 평양에 거주하던 사람들이 많았고 사면되어 다시 평양으로 돌아왔다면 가능한 일이다. 기독교 가족 사면에 관한 증언, 그리고 이것이 평양의 기독교 부상과 어떤 관계가 있는가에 관해서는 추가적인 연구가 필요하다.

이 책에서 살펴본 사례는 10가족에 불과하여 처형과 투옥, 추방과 사면 등 기독교에 대한 북한당국의 탄압이 어떻게 진행되었는지 그 전모를 파악하기에는 한계가 있다. 그러나 추방된 신앙인 가족들이 탈출할 수 있었다는 사실과 지방에서 평양으로 올라온 가족들 가운데 기독교인들이 많았다는 증언들은 비록 단편적이긴 하나 추방과 사면에 관한 기존 접근을 성찰적으로 바라볼 수 있는 기회를 제공해 주었다. 1991년 5월 미국을 방문한 북한 기독교 대표단은 인사말을 하는 자리에서 북한이 과거에 기독교에 대한 오해가 있었고 그로 인해 기독교인들이 많은 어려움을 겪었다는 말로 북한의 기독교 탄압을 우회적으로 인정한 바 있다. 앞으로 남북관계가 개선되고 북미관계가 정상화되는 과정에서 북한기독교인 가족들의 아픈 과거를 재평가하는 기회를 가져야 할 것이다.

2. 1, 2세대의 고난을 딛고 3세대에서 싹튼 신앙

지금까지 살펴본 북녘 그루터기 가족은 모두 조부모 세대에서부터 기독교 신앙을 가지고 생활하던 신실한 믿음의 가문들이다. 우리가 면담한 사람들은 3대보다 더 위에서부터 가문이 신앙을 받아들였을 가능성도 있으나, 면담에 참여한 탈북자들은 이러한 정황에 대해 아는 바가 거의 없었다. 따라서 이 책에서는 면담에 참여하여 진술해 준 당사자들을 편의상 신앙의 3세대로, 그들의 조부모 세대를 신앙의 1세대로, 부모 세대를 신앙의 2세대로 호명하였다.

이렇게 신앙의 세대를 나눠볼 때, 북녘 그루터기 가족에게서 발견되는 사실은 놀랍게도 선대들의 신앙의 씨앗이 3세대에서 움트고 있다는 점이다. 신앙 1세대는 엄혹한 시련을 겪으면서 2세대 자녀들에게 신앙을 제대로 물려주지 못했다. 북한 공산주의 정권의 무자비한 탄압과 처형, 추방정책으로 1세대와 2세대는 완전히 짓밟히고 말았다. 1세대는 공산 정권이 들어설 당시 성인으로 억압과 처벌을 고스란히 겪어야 했고, 2세대는 그 시련의 한복판에서 어린 시절과 젊은 시기를 보내며 신앙을 버리거나 철저히 감추고 살아왔다. 때로 1세대가 처형으로 순교를 당하거나 한국전쟁 때 사망하여 2세대가 고아로 버려지거나 추방당하여 신앙은 완전히 죽은 고목나무처럼 되었다.

무엇보다 처형된 1세대의 남은 가족의 삶은 신앙을 논의하기에는 너무 혹독하였다. 앞의 사례에서 봤던 여러 가족처럼 남아 있는 그루터기의 삶은 녹록치 않았다. 살아남은 것만이라도 감사해야 하는데도 문득 그렇게 홀로 모두 잘려버린 채 외롭고 쓸쓸한 삶을 유지해야 하는 상황은 남은 자녀들에게는 견딜 수 없는 아픔이었을 것이다.

시기적으로도 2세대 신앙인들은 북한 역사상 가장 혹독한 핍박의 시기를 살면서 신앙으로부터 완전히 멀어졌다. 일괄적으로 말하기는 어렵지만, 이 책에서 서술한 신앙 1세대는 대체로 1945년 해방 당시 결혼하여 가족을 이루고 살았던 사람들로 40–50대 정도의 연령층이었다. 2세대는 그들의 자녀들로 해방과 분단 전후에 태어나 어린 시절 공산정권의 부모들에 대한 탄압을 목격하며 자란 사람들이다. 반면 신앙 3세대는 부모들로부터는 어떠한 신앙교육도 받지 못하고 자랐지만, 그들의 조부모로부터 신앙을 보며 자란 아이들이다.

신앙 3세대가 믿음을 가질 수 있었던 토양은 조부모들의 영향도 있었으나, 시기적 상황이 가장 큰 변수였다. 신앙 2세대는 북한이 종교인들에 대한 추방정책을 단행한 이후 1960년대와 1970년대에 반종교교육과 주체사상 학습을 강도 높게 추진하던 시기로 어느 누구도 개인적으로 신앙생활을 유지할 수 없었고 자녀들에게도 절대로 말할 수 없었던 엄혹한 시기였다. 그러나 신앙 3세대는 세계적 탈냉전이 시작된 1980년대 후반과 식량난으로 탈북자가 발생하던 1990년대 사회상황에서 이전 시기보다 신앙에 대한 관심과 기회를 가질 수 있었다.

공산정권하에서 신앙 1세대에서 2세대로 넘어가면서 완전히 소멸되는 듯 보였던 신앙공동체가 3세대에서 다시 움이 트고 있다는 사실을 생각하면 정말 놀랍다. 믿음은 한 세대를 완전히 소멸시키면서 교회가 초토화되는 수난을 겪었으나, 그 폐허 속에서 믿음의 새싹이 다시 나오고 있다. 놀라운 일이 아닐 수 없다.

3. 신앙의 세대전승, 어떻게 가능했나?

신앙이 현 세대에서 다음 세대로 이어져 내려간다는 것은 여간 어려운 일이 아니다. 1세대의 신앙의 전수가 어려운 것은 물론이고 2세대의 신앙의 전수는 더욱더 어렵다. 그럴진대 3대 혹은 4대째 그 엄청난 핍박과 처형 속에서 북한에서 신앙의 세대전승이 이어져 내려 온 사실을 어떻게 설명할 수 있을까? 신앙에 대해서, 기독교에 대해서, 종교에 대해서 가르친 것도 없고 보여진 것도 없이 어떻게 신앙의 다음 세대가 이어져 왔는가의 관심을 기울여 보자.

신앙생활이 자유로운 남한에서도 믿음을 다음 세대를 세우는 일이 쉽지 않다. 1세대에서 신앙의 축복으로 훌륭한 신앙 가문이 이루어졌음에도 다음 세대로의 신앙의 전승이 실패하는 경우를 종종 본다. 목사의 가정에서도, 장로·권사의 가정에서도, 집사의 가정에서도 신앙의 세대전승은 쉽지 않다. 자유로운 사회에서도 그러한데 하물며 혹독한 탄압과 감시를 받으며 신앙을 유지해야 하는 북한의 상황에서 어떻게 신앙의 세대전수가 가능했을까.

가정교육

북한에서 세대를 넘는 신앙의 전수는 한마디로 가정을 통해서 이루어졌다. 가정환경과 형편에 따라 어린 시절부터 조부모를 통해 신앙교육이 이루어진 가족도 있지만 대개 미성년 자녀들에게는 직접 복음을 전해 줄 기회가 없었고 성인이 되고 나서야 겨우 신앙적 대화를 나눌 기회가 있었다. 자녀들에게 신앙을 직접 교육할 수 있는 환경이 철저히 제한되었으나 모든 것은 가정을 통해 이루어졌다. 말씀을 읽고 찬양을 부르는 경우는 거의 불가능하였다. 기도 외에는 다른 방법이 없었고 그저 말씀을 살아내고, 삶으로 찬양을 부르고 행동으로 신앙을 보여 주는 것만이 가능했다. 신앙의 뿌리가 깊이 내려 있었기 때문에 상황과 환경에도 흔들리지 않고 자녀들에게 신앙의 삶을 보여 주었고 가정에서의 삶은 자연스럽게 복음으로 이어졌다.

그러나 강선욱 장로의 가정처럼 기독교 집안의 대단한 내력을 가졌으나 신앙을 이어가지 못한 가정도 있다. 북한체제에 협력하며 순응하였지만 정작 믿음의 뿌리는 이어가지 못했다. 신앙의 가문에서 태어나 신앙을 굳게 지킨 다른 가정과는 대조적이다. 기독교 집안의 가문에서 북한

체제에 협력하며 순응하고 상대적으로 자유로운 신앙활동의 공간이 주어졌으나 믿음과 신앙을 지켜내지 못했다. 정치적인 목적으로 공인된 종교인으로만 살아갔으며 후손들에게 신앙의 계보를 물려주고자 한 흔적이 없다. 어느 사회에서나 선조들이 후손들에게 보여 주는 신앙의 태도는 훗날 후손들에게 진정한 신앙을 소유할 수 있는 계기를 만들어 준다.

남한의 크리스천 가정들은 말씀을 읽고, 찬양을 부르고, 기도를 하는 것으로 신앙교육을 다했다고 생각한다. 어쩌면 신앙의 뿌리가 아직 깊게 박혀 있지 못했기 때문이리라. 그렇기 때문에 가정예배는 많이 드리지만 그 예배를 드리고 난 이후의 삶 속에서의 예배는 어색해한다. 말씀으로 산다는 것이 무엇인지 가정에서 배우지 못했기에 상황과 환경에 믿음이 흔들린다. 신앙의 뿌리를 깊게 박는 것은 교회만의 일이 아니라 가정에서도 해야 하는 일이다. 교회에 신앙교육을 모두 맡겨버리는 것은 비정상적인 처사이다. 1년 365일 중에 52일만 교회를 가게 되고, 그중에 한두 시간만 예배를 드리게 되는데 이것만으로 신앙교육이 완벽하다고 이야기하는 것은 어불성설이기 때문이다. 가정에서 가장 오랜 시간을 보내는 자녀들은 가정에서 살아내는 순간순간의 삶이 복음이어야 한다. 이러한 가정은 믿음의 뿌리가 강하게 박히게 되고 어떤 상황과 환경에도 흔들리지 않게 될 것이다. 하지만 가정에서 그 책임을 외면한다면 믿음의 뿌리는 얕게 박힐 수밖에 없고, 결국 작은 어려움에도 뿌리가 뽑혀버리게 될 것이다.

온갖 박해 속에서도 자녀들에게 신앙을 유산으로 물려주기 위해 평생을 노력한 북한성도들의 삶을 통해 신앙의 다음 세대를 어떻게 양육해야 하는지 여실히 보게 된다. 자녀 세대들이 믿음으로 살아가기를 바라면서도 정작 부모들이 자녀들을 위해, 자녀들에게 신앙을 물려주기 위해 북한의 성도들만큼 살지 못하고 있는 것이 작금의 현실이다. 신앙의 자유가 주어져 있고 많은 유익한 프로그램이 있지만 다음 세대의 신앙 계승은 점점 약해져 가고 있다. 북한의 크리스천 가정은 그 험난한 박해 속에서도 끝까지 이어졌지만 남한의 크리스천 가정은 신앙의 대가 끊어 지는 것에 대한 걱정 속에 살아가고 있는 현실 속에서 북한의 크리스천 가정의 모습은 우리에게 큰 도전을 준다.

어머니의 기도

보다 직접적으로는 어머니의 기도와 눈물어린 믿음의 삶이 결정적 계 기를 만들어 냈다. 아버지가 믿음을 갖고 자녀들을 교육한 사례도 있었 으나 대부분 어머니의 영향이 컸다. 실제로 이와 같이 숨은 믿음의 자녀 들이 있음을 탈북자들의 입을 통해 들을 수 있다. 순교자 목사의 가족인 탈북자 KYN 자매는 어머니의 신앙을 다음과 같이 기억하고 있다.

엄마의 신앙을 많이 물려받았다. 엄마는 순교자 목사님이 있는 가족이었다. 어렸을 때(7살 때부터) 피아노를 연습할 때 엄마가 연습하기 전에 이거 연습해 하고 주신 악보가 찬송가였다. 그러면 서 아빠에게도 말하지 말고 이것(찬송가) 다 친 다음에는 피아노 뚜껑을 열고 찬송가를 숨겨 놓으라고 말씀하셨다. 어느 날은 보위 사령부 검열이 들어오면서 들키지 않기 위해 엄마가 울면서 성경, 찬송가를 다 태우시기도 하셨다.

식사할 때도 보면 다들 식사를 하려고 하는데, 엄마는 숟가락 을 들고 눈을 뜨고 멍하게 계시는 것이다. 그래서 이상하다 생각 했는데, 탈북해서 엄마에게 왜 그랬느냐고 물어봤더니 그것이 바 로 기도였다고 말씀해 주셨다.

"7살 때부터 피아노를 쳤는데, 그때 처음 예수님을 알게 되었 어요. 어릴 때 집에서 찬송가를 연습했거든요. 엄마가 몰래 찬송 가를 가져왔었어요. 지금 한국에서 말하면 지하교인이에요. 엄마 는 남한테 내색은 안하고 혼자서 기도하셨어요. 그리고 남한 와서 알게 되었는데… 엄마 가족에 순교하신 목사님도 있었더라고요. 엄마가 외국에 다닐 기회가 있어서 나갔다 오시면서 찬송가를 가져다주셨어요. 연습을 할 때 찬송가를 무조건 한 곡 연습하라고 했어요. 그 누구도 모르게 연습하라고 했어요."

북한에서 어머니가 보여 주셨던 삶의 태도가, 삶의 모습이, 훗날 그 모습이 신앙의 모습이었음을 깨닫는 것이다. 어머니의 삶의 모습이 하나님을 믿는 사람들의 모습과 삶의 태도였음을 절절히 깨닫고 감격하며 다시금 신앙인으로 거듭나고 있다. 신앙의 가문이라도 선조들의 신앙전수를 위한 적극적인 삶의 태도가 없다면 신앙의 전수는 결코 쉽지 않다. 신앙전수를 위해서 선조들의 신앙적인 삶의 모습은 나타나야 한다. 선조들의 신앙적인 삶의 모습은 훗날 후손들의 신앙형성과 태도에 상당한 도움을 준다. 진실된 신앙의 계보를 잇기 위해서는 선조들의 신앙적인 삶의 모습은 절대적으로 나타나야 한다.

어머니의 기도가 중요한 것은 어릴 적 아이들이 그것을 보고 자란다는 것이다. 세대 간 신앙의 전수가 가능했던 그루터기 가족들의 한결같은 고백, 그리고 3대째 들어 신앙의 꽃이 피는 이유는 손자, 손녀들이 어릴 적 조부모의 신앙생활을 보고 말씀을 들으며 성장했기 때문이다. 어린 시절에 보고 들었던 신앙생활은 나이가 들어서도 오랫동안 기억에 남아 결국 신앙의 길로 이끈다는 교훈을 얻는다. 이런 점에서 어린 시절의 가정교육과 교회차원에서의 주일학교 교육은 신앙의 세대계승에서 무엇보다 중요하다. 쇠퇴기 가운데 빠진 한국교회는 지금 이 시대의 어린 영혼들에게 어떠한 신앙의 유산을 물려주어야 하는지를 묻고 다시 한 번 신앙의 부흥기를 위해 기도해야 할 때임을 잊지 말아야 할 것이다.

쉐마교육 - 들려진 말씀의 능력

신앙의 전수는 무엇보다 부모가 들려주는 말씀으로 이루어진다. 교회가 없고 예배가 없는 북한에서 부모가 들려주는 성경 이야기와 찬양은 하나님을 접할 수 있는 유일한 통로다. 할아버지와 아버지의 철두철미한 신앙의 태도와 가르침이 L 형제를 신실한 신앙의 소유자로 훈련시켰다. 어릴 때 들은 이야기들이 모두 성경 속의 내용임을 알게 되었다. 그는 예수님에 대한 이야기, 북한 공산당의 만행, 공산당의 착취행각이 각인되었다. 가족도 믿지 못하는 북한 땅에서 신앙을 전수하는 것은 쉽지 않다. 아버지는 북한체제는 무조건 망할 것이라고 하셨다. 담대하고도 타협하지 않는 믿음으로 신앙을 전수한 경우이다.

L 형제의 아버지는 예수님에 대해서, 교회에 대해서, 기독교에 대해서, 올바로 사는 것에 대한 철저한 교육을 시켰다. 아버지는 할아버지에게서 전수된 신앙교육을 아들에게 교육시켰다. 북한에서는 가족 간에도 감시하며 속마음을 털어놓을 수 없다. 그렇기에 어린 손자에게, 어린 아들에게 신앙교육을 전수한 쉐마교육은 특별한 경우이다. 아버지는 공산당의 잘못된 교육을 비판했다. 북한주민은 절대로 나쁜 일을 한 것이 아님에도 잘못되었다고 가르쳤다. 당시 사회적인 상황과 신앙교육은 L 형제에게 정체성의 혼란을 가져오게 했으며 혼란은 심각했다.

아버지의 쉐마교육은 북한사회와 체제에 대해서, 주체사상에 대해서 반감과 회의를 가지게 했다. L 형제의 돌발적인 어떠한 행동으로 가족이 몰살을 당해도 후회하지 않겠다고 하는 아버지의 단호한 각오를 보면 신앙에 대한 신념이 투철했음을 알 수 있다. 북한체제와 사회에 대한 회의와 번민으로 북한에서 상상할 수 없는 일들을 추진하게 되었다. 그리고 이러한 일들은 친구들이 숙청으로 내몰리고 고문을 당하게 되며 결국 L 형제는 탈북을 행동에 옮기게 된다.

쉐마교육의 열매는 무엇일까? 기독교 집안인 할아버지, 아버지에게서 철저한 신앙교육을 받은 L 형제는 바로 신앙이 자리 잡지 못했다. 그러나 철저한 쉐마교육은 하나님에 대해서, 신앙에 대해서 관심을 가지게 된 계기가 되었다. 인간에 대한 궁금증을 기독교 관련 서적들을 몰래 보면서 신앙의 영역을 구축해 나갔다. 드디어 중국에 와서야 희미했던 신앙은 성경을 탐독하면서 실체가 드러난다. 말씀이 확실한 신앙의 사람으로 세워준 것이다.

북한에서 자녀 세대의 신앙교육은 철저히 쉐마교육으로 이루어졌다. 할아버지와 아버지의 철저한 쉐마교육이 흔들리지 않는 신앙의 사람으로 성장시켰다. 아버지의 단호한 각오가 더 깊은 경지의 신앙인으로 성장시켰다. 말씀으로, 삶으로, 행동으로 보여 주는 삶의 태도는 다이너마이트와 같은 폭발력을 가지고 자손에게 전수된다.

나눔의 실천, 삶으로 드러나는 신앙

북한에서는 실제로 신앙교육을 할 수 없는 상황이 대부분이다. 학교에서는 말할 것도 없고, 교회도 존재하지 않으며, 가정에서도 신앙교육을 할 수 없는 것이 현실이다. 서로 감시하고 감시당하면서 가족에게도 복음을 전할 수 없는 열악한 상황에 처해 있다. 마음껏 복음을 전할 수 있는 우리의 상황과는 정반대이다. 우리는 마음껏 복음을 전할 수 있음에도 불구하고 아이러니하게 복음 전하는 것을 주저할 때가 많다. 그러나 북한의 그루터기 가족은 달랐다. 그들은 전할 수 없는 상황이라도 포기하지 않았다. 삶으로 전했고, 세상과의 부딪힘이 있었음에도 불구하고 가정에서 신앙교육을 목숨 걸고 행했다. 그루터기 가족에서 신앙교육은 말이 아니라 삶이었다. 한마디도 복음에 대해 이야기하지는 않았지만 복음의 씨앗이 삶을 통해서 뿌려졌던 것이다.

하나님께서는 우리에게 주신 계명을 크게 두 가지로 요약해서 알려 주셨다. 하나님을 사랑하는 것과 이웃을 사랑하는 것이다. 여기서 중요한 것은 이 계명에 나를 사랑하라는 내용이 없다는 것이다. 이 계명대로 살아야 하는 크리스천은 G 자매의 어머니처럼, 초대교회 성도들이 자기의 소유를 교회에 가져와 모두가 나누었던 것처럼 가정이라는 작은 공동체에서 삶을 통해 신앙을 살아야 한다. 세상이 알 수도 없고, 세상이 이해할 수도 없는 것이다. 하나님을 사랑하는 사람의 삶은 바로 그런 삶이다. 그렇게 당연히 살아야 할 삶을 살았던 G 자매의 어머니의 삶은 복음의 씨앗이 되었고, 만나는 모든 사람에게 심겨졌으며, 알지 못하는 사이에 자녀들에게 심겨졌다. 아니 거부하는 가운데 심겨졌다. 그리고 그 씨앗은 하나님의 때에 싹을 틔웠다. 그리고 언젠가는 꽃을 피우고 열매를 맺게 될 것이다.

성경은 우리에게 전도자가 되라고 하기보다는 증인이 되라고 한다. 전도와 증인은 서로 다른 단어이다. 전도는 도를 전하는 것으로 논리적으로 체계적인 단어를 구사하여 복음을 전하는 것을 의미한다. 하지만 증인은 논리와 체계가 필요한 것이 아니다. 경험한 것을 그대로 살아내는 것이 증인이다. 신앙은 말이 아니라 삶이다. 논리적으로 성경을 잘 풀어서 말하는 것이 중요한 것이 아니라 그 신앙이 삶으로 증명되어야 한다는 것이다. 그렇게 복음의 씨앗이 뿌려져야 하는 것이다. 남한의 성도들은 복음을 전하는 것을 어려워한다. 부담스러워한다. 왜인가? 논리 정연하게 설명해야 한다는 강박에 사로잡혀 있기 때문이다.

복음을 전하는 것은 전도를 뛰어넘는 것이다. 전하려 하는 것이 아니라 살아내려고 하는 것이 복음을 전하는 방법이다. 전도가 아니라 증인이다. 말이 아니라 삶이다. 그루터기 가족들은 그 삶을 살아냈다. 모든 것을 잃었음에도 불구하고 복음을 살아내는 것을 포기하지 않았다. 오늘 먹고살 것도 넉넉지 않은 추방지에서 내 배 불리기 위한 삶보다는 이웃을 위한 삶을 살았다. 그냥 신앙을 살아냈을 뿐인데 그 삶을 바라보았던 많은 사람들에게 복음의 씨앗이 심겨진 것이다. 그리고 자녀들에게도 복음의 씨앗이 심겨졌다. 남한교회와 북한교회가 만나는 그날 그들은 우리에게 삶을 보여 줄 것이다. 그렇다면 우리는 무엇을 보여 줄 수 있을까.

한국교회 성도들은 생활 속에서 신앙의 모범을 보이며 실천하는 삶을 살아가고 있는가. 신앙은 말로 하는 것이 아니라 생활 속에서, 삶의 모습 속에서 실천하는 것이다. 지금 우리는 서로 나누는 것이 절대적으로 필요한 시대이다. 어떻게 나눔 운동을 실천할 수 있을까. 남에게 보여 주는 것이 아니라 성령의 세미한 음성에 순종하기 위한 나눔 운동을 실천할 수 있을까. 북한의 그루터기 신자들을 찾아 위로와 도움을 주고 그리스도의 사랑을 전하는 것은 크리스천의 사명이다. 북한에서 하나님을 믿는 크리스천이라는 이유로 받았던 고통과 고난의 대가는 되지 못하겠지만 조그마한 그리스도의 사랑을 전하고 나누는 나눔 운동의 활성화는 무엇보다 절실하다.

신앙은 말로 하는 것이 아니고 삶의 태도를 보여 주는 것이다. 북한 이탈주민들에게 하나님을 믿으라고 전도하면 실제 삶으로 신앙을 보여 달라고 한다. 오늘날 한국교회 성도들은 교회 안에서는 "주여! 주여!"를 외치며 방언을 말하며 그리스도인으로서 살아가지만 교회 밖을 나오면 신앙은 어디로 사라져버린다. 그러나 북한에서는 교회도 존재하지 않고, 성경공부도 없다. 하나님을 믿으라고 전도하는 것도 없다. 그럼에도 북한 그루터기 신자들의 경우를 보면 신앙의 참 의미를 깨닫고 신앙생활을 하는 것 같다.

북한의 성도들은 고난의 행군시절 자기도 먹고살기 어려운 그 시절에 성령의 세미한 음성을 순종하여 말없이 묵묵히 실천하며 도운 일은 오늘 한국교회 성도들에게 신앙의 도전과 회개를 일깨워 주며 사랑을 실천할 수 있는 이유임에 틀림없다. 오늘도 성령의 세미한 음성을 듣고 순종하며 실천에 옮기는 행동은 하늘 보좌를 움직이고 하나님의 마음을 시원케 하리라.

순교의 열매

신앙인 가족 1세대의 추방과 처형은 공포스럽지만 생사를 넘어서는 조부모, 부모들의 견결한 믿음과 순교정신은 신앙유지를 위한 처절한 몸부림의 흔적을 보여 준다. 죽음을 초월하는 선대들의 믿음에 대한 자세는 자녀들에게 고스란히 전승되었다. "북한에서는 기독교 신앙이 결코 있을 수 없다"고 북한이탈주민들은 잘라 말하지만 이러한 실제적인 사례를 어떻게 말할 수 있을까.

하나님을 믿는다는 이유로, 신앙을 가졌다는 이유로, 엄청난 박해와 공포, 추방, 두려움 속에서 굳건히 이어져 내려온 신앙의 가문이 있다는 사실은 어떻게 설명할 수 있을까. E 자매의 말을 빌려본다. "자유의 땅에서 살아가면서 신앙의 자유에 대해서 감사하지 못하고 감격없이 살 때가 너무 많아요. 지금 누리고 있는 신앙이 아주 지극히 당연하다고 여기며 살아갈 때도 있지요. 남한에서는 하나님께 예배드리고 싶을 때 예배할 수 있고 인터넷과 TV채널을 돌리면 24시간 하나님의 말씀과 찬양이 흘러나오는 신앙의 풍요로움 속에 살고 있지요. 그러나 북한에서는 아직도 목숨을 걸고 숨죽여 가면서 하나님을 부르며 자신의 귀에 들리지도 않을 정도의 찬양으로 그 신앙을 이어가고 있는 것이 현실입니다."

5대째 신앙의 계보를 이어간 J 자매 가족도 목사였던 외할아버지가 체포되어 수감되었으나 감옥 안에서도 전도활동을 한 이유로 사형에 처해지며 가족들이 모두 오지로 추방되었다. 북한당국에 협력하지 않고 신앙의 절개를 지키며 순교의 길을 택하였다. 결국 가족 모두 추방되는 아픔을 겪은 것이다. 그럼에도 남은 가족들 역시 신앙의 계보를 이어가며 전도 활동에 전념하는 소식은 눈물겹다. 북한 땅에도 때가 되면 복음의 부흥시대를 준비하고 계시는 하나님의 섭리와 계획 앞에 고개를 숙인다.

냉혹한 상황 가운데서도 믿음을 이어가고 있는 북한의 그루터기 가족들은 신앙의 감격 없이, 신앙의 기쁨 없이 형식적인 신앙인의 모습으로 살아가는 크리스천들의 모습을 가슴 아파한다. 제2부에서 언급한 한 가족은 북한이 증조할아버지와 친할아버지 때 신앙의 세대전승이 된 것을 알고 가족을 대대적으로 조사했다고 한다. 할머니는 숙청된 가족들과 함께 예배를 드렸으며 1대 증조할아버지와 2대 친할아버지에게 신앙이 전수되고 할머니까지 전수되었기 때문이다. 4대 신앙의 전수자는 신앙의 계보를 이으며 통일 후 북한 땅 고향에 돌아가 복음 전하기를 준비하고 있다.

그루터기 가족들은 거의 순교의 신앙을 보고 자랐다. 아버지가 보위부에 끌려가고 할머니도 돌아가시고 고모 역시 신앙을 초개같이 지키며 역시 순교의 이슬로 사라졌다. "오빠가 이렇게 해서 갔는데 너도 하나님 믿느냐? 네가 하나님 부인하면 안 데리고 가겠다"며 보위부는 고모를 설득했으나 고모는 한마디로 거절했다. "나는 하나님을 믿는다" 이 한마디를 남기고 형장의 이슬로 사라져갔다. 남은 가족들은 형장의 이슬로 사라져간 가족에 대한 그리움과 트라우마로 슬픔과 아픔을 간직하고 오늘도 하늘을 바라본다.

남은 가족들은 조부모와 부모가 "신앙을 마음속으로 유지하고 북한정권과 타협하며 기회를 보면서 신앙의 전수를 위해 노력을 하였더라면 더 좋은 결과를 가져오지 않았을까" 하는 아쉬움을 피력한다. 그러나 그들이 새삼 깨닫는 바와 같이 죽으면 죽으리라는 신앙을 가지고 초개같이 신앙의 절개를 지켰기에 후대들의 신앙이 자랄 수 있었다고 고백한다. 선대들의 장렬한 순교의 길 위에 그가 걸어가신 신앙 앞에 숙연해질 수밖에 없다.

모든 신앙인들도 선택의 여지없는 시험대 앞에 선다면 북한 그루터기 신자들처럼 J 자매 외할아버지처럼 신앙을 지키며 생명을 초개같이 버릴 수 있을까. 엄청난 두려움과 힘든 상황 속에서도 신앙을 담대히 지키며 순교의 길로 들어설 수 있을까. 하나님의 계명을 지키고 섬기면 삼사대까지 축복하시는 하나님의 놀라운 사랑을 볼 수 있다. 하나님의 계획을 알 수 없지만 하나님께서는 하나님의 때에 하나님의 방법으로 자손만대 축복하시는 사랑을 보고 있는 것이다. 힘들고 어려운 험난한 상황 속에서 신앙을 지킨 그루터기 신자들의 순교의 피는 지금도 살아서 유유히 흐르고 있다.

4. 북한에서 전해져 내려온 신앙의 내용들은 무엇인가?

하늘에 빌어라

북한 그루터기 신앙인 가족들이 전하는 신앙의 내용은 어떤 것일까. 예수가 죄인이 된 우리를 위해 십자가를 지시고 구속하여 우리에게 영생을 주신다는 복음의 내용을 온전히 전할까. 거의 그러지 못한다. 북한에서 전수되는 신앙의 내용은 한국교회의 상황과는 사뭇 다르다. 성경 속에 나오는 이야기가 없어도 남을 사랑하라. 남을 도와주라는 등의 간접적인 내용이다. 윤리적이고 도덕적인 내용이 주류를 이룬다.

하늘에 빌어라, 착한사람이 되어라, 남을 도와주어라. 힘들거나
억울한 일이 있으면 하늘에 빌어라. 사람들은 믿을 수 없지만 하
늘은 다 듣고 있으니 하늘에 빌어라.

신앙의 내용은 공통점이 있다. 북한에서는 하나님을 믿으라는 직설적인 전도가 없다. 성경공부와 제도적으로 갖추어진 예배에 대한 신앙적 내용을 전수받지 못했다. 단지 좋은 일을 하라, 착한 마음을 가지라는 등 윤리적이고 도덕적인 가르침이자 상식적인 내용들이 대부분이다. 신앙적인 해석과 반복적인 가르침으로 실천되고 있음을 확인할 수 있다. 생활 속에서 자연스럽게 전수받은 것이다.

찬송과 기도

또한 신앙을 소유한 어머니, 할머니, 아버지들이 집 안에서 혼자 흥얼 흥얼하며 찬송과 기도를 한다. 인기척만 나면 뚝 그쳤다. 신앙의 모습을 들키지 않으려고 자녀에게조차 기도하는 모습, 찬송하는 모습을 보여 주지 않았다. 그러나 그루터기 신자들은 증언한다. 북한에서 어머니가, 할머니가 흥얼흥얼하던 소리들이 기도소리요, 찬송소리였다는 것을.... 한국 교회는 주여 삼창을 한다. 통성기도를 한다. 북한 땅에서는 소리내어 찬송 부르지 못하고 마음으로, 가슴으로 기도하며 찬송한다. 뜨거운 열정의 믿음의 순례 길 여정이 지금도 저 북한 땅에서 울려 퍼져나가고 있다.

북한 땅에서 신앙의 내용은 윤리적, 상식적인 것이 핵심이다. 신앙을 지키기 위해 힘들고 어려운 여건 속에서 조심스럽게 묵묵히 신중한 태도로 신앙의 전수가 이어져 내려온 것이다. 북한의 신앙인 3세대는 어린 시절 신앙교육을 받은 기억이 전무하다. 단지 부모님들의 삶의 모습을 보면서 자신도 모르게 신앙의 모습을 배운 것이다. Y 자매의 어머니처럼 흥얼흥얼 노래를 부르는 일이 자주 있는데, 당시는 어떤 노래였는지 몰랐지만 한국에 와서야 어머니가 늘 불렀던 곡조가 찬송가였음을 알고 감격한다.

> 자주 부르는 찬송가는 '내 주를 가까이'와 '주 안에 있는 나에 게'다. "내 주를 가까이 하게 함은 십자가 짐 같은 고생이나 내 일 생 소원은 늘 찬송하면서 주께 더 나가기 원합니다."

Y 자매 아버지도 흥얼흥얼 같은 곡조의 노래를 부르셨다. 새벽마다 일찍이 일어나 두 분이 기도하셨던 모습이 당시에는 의아하게 보였다. 그러나 그것이 신앙의 모습이었다. 그분들의 삶의 모습이요, 신앙의 모습인 것을 감격한다. Y 자매는 북한에서 신앙교육을 실제로, 정식으로

받지 못하였지만 부모님들의 삶의 모습을 기억하면서 감격한다. 부모님의 삶의 태도에서 삶의 모습에서 신앙의 모습을 발견하고 감격한다.

새벽마다 기도하는 모습

신앙교육을 받은 것은 아니지만 부모들의 기도하는 모습을 보고 자란 자녀들이 대부분이다. 북한당국과 협력관계에 있어서 공식적으로 예배를 드릴 수 있었던 가족은 물론이고 은밀하게 신앙생활을 하던 다른 가족도 깊은 밤이나 새벽에 부모들이 기도하는 모습을 목격하였다. 부모들의 이상한 행동이 너무나 정성스럽고 신실하여 관심을 갖게 되고 성인이 된 이후 계기가 주어졌을 때 신앙을 갖게 되는 단초가 되었다.

부모는 자녀들을 사랑하는 마음에서 신앙생활을 가르쳐 주지 않거나 권유하지 않은 경우도 있다. 예수를 믿는다는 이유만으로 배 속의 아이까지 전부 죽임을 당하는 두려운 환경이었기 때문에 자녀들이 신앙의 환경에 노출되는 것을 꺼려할 정도였다. 그 당시의 신앙은 누구나 추방당하고 투옥당하며, 죽임을 당할 수 있는 위험성으로 행여 잘못될까 노심초사하는 부모의 마음인 것이다. 김일성 시대는 신앙생활이 너무 힘들어서 하나님을 믿다가 목숨을 잃을 수도 있는 상황으로 모두 조심했었다.

그러나 자녀들에 대해 신앙교육을 하지 않는 부모들도 자신들의 신앙생활을 철저히 하였다. 특히 새벽기도를 열심히 하는 모습을 보면서 자녀들이 성장하였다. 복음의 생명력은 뜨겁게 살아 움직이기에 새벽마다 기도하는 조부모와 부모의 모습은 자연스러운 가정 신앙교육이 되었다. 하나님을 믿는 사실을 숨겨야 했던 시절에 북한의 크리스천들은 공식적으로 인정받은 사람들이어도 집 안에서만 인정되었다. 밖에서는 크리스천이 아닌 척하며 살아가야만 했고 눈물겹도록 힘겹게 지켜온 신앙과 삶은 오늘도 저 북한 땅에서 치열함과 절절함을 간직한 채 북한 땅을 비추고 있다.

남을 도와주어라 - 삶의 모범

I 자매는 증언한다. I 자매의 어머니는 하나님을 믿는다고, 신앙을 가졌다고 이야기한 적이 없다. 그러나 훗날 중국에서 신앙생활을 하면서 북한에서 어머니가 이야기하시던 내용들이 기독교 신앙이었음을 회고한다. 신앙의 전수는 어떻게 이어질까. 부모님의 설득으로, 부모님의 말로 신앙의 전수가 내려오는 것이 아니다. 부모님의 삶의 모습이 행동으로 나타나고 모범으로 보여질 때 자손들의 신앙의 전수가 내려져오는 것을 확인한다. 성경말씀을 전해 주지 않아도, 찬송을 가르쳐 주지 않아도, 삶의 모습으로 신앙의 전수가 이어져 내려옴을 보여 주고 있다.

구제를 바탕으로 친밀한 관계가 형성되면 복음을 전할 수도 있다. 그러나 신앙은 실천하는 삶이다. 굶주리고 병약한 사람들이 많으므로 쌀과 약품으로 도와주면서 사랑을 나누고 관계를 맺는다. 친밀한 관계가 형성되면 믿음을 권유한다. 위에 있는 분은 신(神)적인 힘이 있는 분이다, 그 분에게 부탁하면 모든 것을 들어준다고 말한다. 하나님이라고 하면 싫어해도 '신(神)'이라고 하면 크게 반감을 갖지 않는다. 북한에서 미신을 많이 믿기 때문에 신이라고 하는 것은 괜찮다. 힘들 때는 사람이 신이든 사람이든 뭐든지 믿어보려고 한다. "신에게 빌면 어떤 사람을 보내어 도와준다더라, 신에게 한번 빌어 보라, 신이 어떤 사람을 보내서 도와줄지 아느냐?"라며 도전한다. 성경구절을 조금 바꾸어 적어 주기도 한다. 그러나 무엇이든 삶의 모범이 바탕이 되어야 한다.

5. 개인 신앙, 어떻게 간직하나?

오직 말씀으로

쉐마는 유대인들의 신앙고백이다. 그들의 신앙고백은 신명기 6장 4-9절[1]에 나타나있는데 정리하면 우선은 본인이 마음을 다하고 성품을 다하고 힘을 다하여 하나님을 사랑해야 한다는 것이고, 그다음 그것을 자녀들에게 부지런히 가르쳐야 한다는 것이다. 다시 말하면 하나님을 사랑하는 부모는 반드시 자녀에게 하나님을 사랑하라고 가르쳐야 한다는 것을 의미한다. 우리나라도 유대인들과 마찬가지로 가정교육이 철저한 나라였다. 하지만 미국의 실용주의의 영향을 받아 자녀들을 전문가에게 맡겨서 교육하는 것이 훨씬 실용적이라 생각하여 학교를 만들고 자녀들을 학교에 위탁하여 교육하기 시작했다. 그러면서 부모의 역할이었던 교육은 상대적으로 소홀히 여기게 되었다. 결국 작금의 남한가정에서 부모의 역할은 오로지 돈을 버는 것이 되어버렸다. 그저 돈을 많이 벌어서 자녀들을 좋은 학교에, 좋은 학원에 보내는 것으로 부모의 역할이 축소된 것이다.

신앙의 영역도 다르지 않다. 크리스천 가정의 부모들은 자녀들에게 신앙교육하기를 어려워한다. 누가 방해하는 것도 아닌데 자신들은 할 수 없다고 생각한다. 그저 주일학교가 잘되어 있는 교회를 찾아서 자녀를 맡기는 것으로 만족한다. 하지만 북한의 크리스천 가정은 달랐다. 부모들은 하나님을 진심으로 사랑했고, 그래서 억압받는 상황에서도 자녀들에게 직접 하나님을 사랑해야 함을 가르쳤다. 결국 하나님을 사랑하는 것으로 충만한 가정이 되었고, 그것은 삶의 축복으로 나타났다.

세미한 성령의 음성

북한이탈주민들은 북한에서 세뇌된 주체사상대로 자신의 운명은 자신이 책임지고 개척해야 한다고 믿는다. 그러나 신앙처럼 의지한 운명책

---

1) 이스라엘아 들으라 우리 하나님 여호와는 오직 하나인 여호와시니 너는 마음을 다하고 성품을 다하고 힘을 다하여 네 하나님 여호와를 사랑하라. 오늘날 내가 네게 명하는 이 말씀을 너는 마음에 새기고 네 자녀에게 부지런히 가르치며 집에 앉았을 때에든지 길에 행할 때에든지 누웠을 때에든지 일어날 때에든지 이 말씀을 강론할 것이며, 너는 또 그것을 네 손목에 매어 기호를 삼으며 네 미간에 붙여 표를 삼고 또 네 집 문설주와 바깥문에 기록할지니라.

임론적인 생각을 넘어서 절대적인 신앙의 길로 들어서는 경우를 본다. 세미한 음성을 듣고 실천하는 사람들이 그들이다. 북한에 고난의 행군 시기가 찾아와 많은 사람이 굶어 죽었을 때, 그렇게 어려운 상황이 닥쳐 왔을 때 서로가 모르면서도 남을 도와주고자 하는 열망은 성령의 음성 에 민감하게 행동한 경우이다. 자기 자신도 먹을 것이 없지만 세미한 성 령의 음성에 순종하여 행동으로 옮겼다.

어떻게 그렇게 할 수 있을까? 언제 굶어 죽을지 모르는 상황 속에서 도 성령의 인도하심으로 환경과 상황을 초월해 행동에 옮긴 신앙이다. 임마누엘 하나님 성령과 동행할 때 세미한 성령의 음성에 민감하게 반 응할 수 있을 것이다. 신앙이란 무엇인가? 하나님을 믿고 의지하며 모든 문제를 하나님께 의지하고 맡기는 것이다. 자신의 구원의 문제를 그리스 도 예수께 맡기고 의지하며 따르는 것이다. 임마누엘의 하나님과 동행하 는 것이다.

자기보다 어려운 사람들에게 도움을 주기 위한 것은 자신의 모든 것 을 포기할 때 가능하다. 오늘의 현대인들은 동전 한 닢이라도 더 가지려 고 남을 기만하며 속이고 한 마리 양을 더 빼앗아서라도 자신의 열 마리 양을 채우려 하지 않는가?

신앙의 교제

그루터기 신앙인 가족들은 서로 만나기를 소망하고 교제하기를 기뻐 한다. 믿음 때문에 산골 깊은 곳으로 추방된 이후에도 이들은 삼삼오오 모여서 주일이면 예배를 드리고 평소에도 만나기를 노력한다. 북한에서 의 예배라는 것은 남한의 교회처럼 주일날 예배당에서 수많은 성도들이 자유스럽게 모여 예배를 드리는 것이 아니다. 기회가 닿을 때 서로 연락 하여 모이는 것이다.

농촌지역에서는 일요일에 휴식하지 않고 열흘에 한 번 쉬기 때문에 주일예배를 지킬 수 없는 경우가 종종 있다. 예배날짜를 지키기 위해 미리 일을 하고 예배날짜에 맞추어 예배를 드리는 경우가 있으나, 그러지 못하는 날이 많다. 따라서 시간이 날 때 서로 들러 대화를 주고받는 식으로 교제를 한다. 말없이 묵묵히 개인적으로 신앙을 지키며 모이기를 힘썼던 북한 그루터기 신자들의 신앙의 면면을 살펴보면 실로 눈물겹다. 오늘날 한국교회 성도들은 신앙을 지키기 위해 얼마나 많은 노력을 하고 있을까? 생명의 위협을 느끼는 상황은 아니더라도 평화스러운 상황 속에서 신앙의 절개를 지키며 신앙을 유지하기 위한 개인적인 노력은 얼마나 있을까?

북한 그루터기 신자들의 성수주일을 지키기 위한 행동은 자신의 모든 것을 희생하면서 묵묵히 실천에 옮기고 있다. 한국교회 성도들은 얼마나 성수주일을 지키기 위한 노력을 하고 있는가? 예배를 지키기 위해 얼마나 노력하며 예배를 아끼며 소중하게 생각하는가?

예배는 하나님을 만나는 시간이다. 하나님과 대화할 수 있는 시간이다. 하나님을 믿는 사람들은 기도로 하나님을 만난다. 또한 말씀이신 하나님을 예배에서 만날 수 있는 것이다. "솔로몬이 기도를 마치매 불이 하늘에서부터 내려와서 그 번제물과 제물들을 사르고 여호와의 영광이 그 성전에 가득하니."[2] 우리가 예배를 드릴 때, 기도할 때 하나님은 우리의 예배를 받으시고 축복하신다는 사실이다. 두세 사람이 모인 곳에 하나님은 함께하시며 예배를 받으신다. 두세 사람이 모이는 성도의 교제가 곧 예배의 자리인 것이다. 북한 그루터기 신자들은 그 어렵고 힘든 상황 속에서도 예배를 드리기 위하여 피나는 노력을 아끼지 않고 실천한 것이다. 하나님을 만날 수 있는 유일한 통로가 예배임을 북한 그루터기 신자들은 인지하였던 것이다.

---

2) 역대하 7장 1절.

제7장

믿음의 후예 그루터기의
부활을 기대하며

1. 남과 북의 교회 현실

지난 75년 동안 북녘에서 믿음의 가정들이 세대를 이어가며 신앙을
지켜온 고난의 여정을 살펴보았다. 이처럼 세대를 넘어 신앙전수에 어느
정도 성공한 가정들이 어느 정도 되는지 파악할 길은 없다. 북한당국은
1만 2천 명 정도라고 주장하고 있는데 그보다는 많을 것 같지만 그렇다
고 엄청나게 많은 수는 아닐 것 같다. 최대 7-10만 정도가 아닐까 짐작
된다. 처형되고 추방되는 혹독한 박해 속에서 신앙을 유지하고 전수하는
일이 결코 쉬운 과정이 아니었을 것이기 때문이다.

작금의 북한종교 현실도 그리 만만치 않다. 과거의 조직적, 전면적인
탄압에 비하면 그루터기 가족에 대한 처벌은 완화된 편이나, 신앙활동은
여전히 쉽지 않다. 기독교인들은 반동분자 또는 적대계층으로 분류되고
있고, 종교 박해국 순위에서 최악의 종교 박해국으로 지목되고 있다. 북
한은 기독교 신앙을 김씨 일가를 숭배하는 데 대한 위협으로 간주하며

신앙활동의 흔적이 발견되면 정치범 수용소로 보내진다. 기독교 신앙에 대해서는 극단적인 처형과 공포 분위기 조성으로 북한주민들의 신앙활동을 억압하고 있다.

최근 중국이 기독교 신앙이나 선교활동을 단속하고 있는 상황에서 북한도 그 영향을 받고 있다. 북한 내의 경비와 단속도 삼엄해져 신변호보의 필요성도 커지고 있다. 북한교회와 성도들은 중국의 지원을 주로 받고 있는데 중국에서 단속이 강화되면서 북한으로까지 그 영향이 미치고 있는 것이다. 북한은 여전히 복음의 사각지대에 놓여 있으며 기회가 되는 대로 기독교인을 색출하고 있다.

이런 상황에서 북한당국도 외부에서의 정보 유입을 철저히 차단하려고 노력하고 있다. 뿐만 아니라 내부자체도 상당히 폐쇄적으로 조직되어 있다. 각 지역별로 자력갱생 체제를 지속하고 있어서 거주이전의 자유가 없으며 다른 지역의 사람들이 어떻게 생활하는지 알 수가 없다. 게다가 성분이 분류되어 있는 계급사회이기 때문에 함께 한 지역에 살면서도 서로의 삶을 잘 모른다. 따라서 북한주민들은 대부분 자기가 보고 듣고 경험한 것을 북한 전체의 이야기로 확신하며 이야기할 수밖에 없다.

그러나 그중에서도 자신의 신앙을 유지하고 다음 세대로 신앙을 전수한 놀라운 일이 진행되었다. 동방의 예루살렘이라고 불렸던 평양에 부흥하던 장대현교회, 산정현교회 등 보이는 교회는 사라졌지만 보이지 않는 교회, 즉 성도들로 이루어진 북한의 교회가 다시 일어서고 있다. 당국으로부터 허가를 받아 동원된 성도들이든, 아니면 당국의 감시를 피해 지하에서 예배를 드리는 성도든 그들이 살아있다. 지하교회가 존재한다고 하는 사람도 존재하지 않는다고 하는 사람 모두 다 자신의 경험에 비추어 말한다. 그러나 북한에서 숨죽여가며 노심초사 신앙의 양심을 지킨 그루터기 신자들이 있음을 부인할 수 없다. 지상에 동원된 신앙인이든 지하에서 활동하는 성도들이든 그 안에는 그루터기 성도들이 중심적 역할을 하는 것을 보았다.

북한의 성도들은 오히려 남한교회를 걱정하는 사람들이 많다. 남한교회에 대한 사회적 비판은 거세다. 일부 대형교회의 세습에 대한 비판과 기업화하고 있는 맘몬의 모습에 대한 비판이 이어지고 있다. 일부 목회자의 탐욕과 욕망은 영화로까지 나와 한국교회 목회자와 교인들에게 충격을 주고 있다. 김재환 감독의 영화 <쿼바디스>가 '갈릴리에 오신 예수의 정신을 잃어버리고, 대기업화되어 가는 타락한 한국교회'를 주제로, 가난한 자들을 외면하고 부자들에게만 관심을 기울이는 일부 대형교회 목회자의 죄악상을 고발한다. 이 영화는 한국교회의 일부 목사들이 '바벨'과 '맘몬'을 노래하면서, 세습과 기업화되어 가는 타락한 한국기독교를 고발한다.

영화 <쿼바디스>는 기독교 전체를 비판하는 것이 아니라, 예수의 이름을 팔아 돈벌이하는 타락한 일부 대형교회 목사들의 이야기를 다루고 있다. 그리스도의 몸된 교회가 로마로 가서 제도가 되었고, 유럽으로 가서 문화가 되었고, 마침내 미국으로 가서 기업이 되었다. 결국 한국으로 와서는 대기업이 되었다고 쿼바디스의 한 장면은 한국교회를 고발하고 있다.

그러나 화려한 교회당 모습은 없어도 하나님 나라건설을 위해 힘쓰고 애쓰는 목회자도 많다. 남한의 교회가 대형화하고, 세습화하고, 물질에 치우쳐 지탄의 대상이 되고 있으나, 세상 속에서 여전히 섬김을 실천하며 하나님 나라의 건설을 위해 달려가고 있는 크고 작은 진실한 교회들이 많이 존재한다. 참으로 감사한 일이다. 그러나 북한교회와 성도들은 예배당은 없고 목회자가 없어도 자신과 가족을 믿음으로 세우기 위해 진심으로 기도하며 살고 있음을 분명히 기억해야 한다.

교회란 무엇인가? 예배당 건물이 아니라, 예수를 주와 그리스도로 고백하는 성도들의 모임이다. 중요한 것은 교회 공동체로서의 의미와 가치와 목적이다. 교회는 성령 안에서 하나님 아버지와 그의 아들 예수 그리스도를 믿는 형제자매들 간의 사귐 공동체이다. 이 공동체는 인간사회의 혈연, 지연, 학연, 직업, 취미, 정치적 필요 등의 동기로 구성된 집단들과 다르다. 교회는 하나님의 소원에 의해 만들어졌고 하나님의 목적을 이루기 위해 하나님의 손으로 만들어졌다. 하나님의, 하나님에 의한, 하나님을 위한 공동체라고 할 수 있다. 실제적인 교회의 건물이 없고 예배형식은 없어도 하나님을 믿고 의지하며 형성된 공동체로서의 교회가 의미 있는 것이다.

故주기철 목사는 5종목의 기원이라는 유언의 설교에서 피를 토하듯 말한다. "누가 우리를 그리스도의 사랑에서 끊으리요 환란이나 곤고나 핍박이나 기근이나 적신이나 위험이나 칼이랴(로마서 8:35). 죽고 죽어 열백 번 고쳐 죽어도 주님 향한 대의 정절을 변치 아니하오리다. 십자가 십자가 주님 지신 십자가 앞에 이 몸 드립니다. 인생은 초로와 같이 짧고 의는 영원합니다."

죽음의 권세를 이기게 하여 주시옵소서, 장기(長期)의 고난을 견디게 하여 주시옵소서, 노모와 처자와 교우를 주님께 부탁합니다, 의에 살고 의에 죽게 하여 주시옵소서, 내 영혼을 주님께 부탁합니다. 5가지 기도 제목을 조목조목 적어서 설교하시며 단호히 순교의 각오를 가지고 하늘나라를 사모하며 순교하신 故주기철 목사의 유언의 설교말씀은 이 시대 이 땅에서의 진정한 그리스도를 향한 뜨거운 신앙과 믿음, 신뢰, 열정을 읽을 수 있다.

물질만능주의로 교회의 대형화와 세습이 성공한 교회와 목회자로 인식되는 이때에 하나님이 통치하시는 교회로 어떻게 거듭날 수 있을까. 그 많던 북한의 교회를 통일 후 복원하는 문제를 한국교회는 고민해야 한다. 한국교회는 물질만능주의와 세속화, 권위주의와 성장주의에서 탈피하며 실질적인 준비를 서둘러야 한다. 아! 조국교회의 시대적 아픔을 안고 나라와 민족의 운명을 같이 할 수 있는 진정한 지도자는 어디에 있는가. 진정한 신앙의 회복과 민족의 아픈 상처의 치유가 이 땅과 이 민족에게서 일어나야 한다. 주기철 목사님과 같이 신앙의 절개를 지키며 순교의 각오로 한국교회를 이끌어갈 진실된 목회자가 요청된다.

2. 도전받는 한국교회

예수를 믿는다는 것, 죽음의 길

북한이라는 억압된 사회 속에서 기독교인이라는 이유로 감옥에 갇혔지만 복음 전파의 열정을 숨기지 않고 한 영혼이라도 살리기 위한 처절한 몸부림을 쳤던 그루터기 신앙인의 모습을 그루터기 가족의 증언을 통해 들을 수 있었다. 이러한 그루터기 신앙인들의 모습을 들으며 우리 한국교회는 한 영혼을 긍휼히 여긴다는 말씀의 의미가 무엇인지를 다시 한 번 되새겨 보며 영혼을 살리는 일이 어떤 이벤트나 행사가 아닌 우리들의 생명을 내어 놓더라도 행해야 할 사명임을 깨닫는다.

복음 때문에 자신의 눈에 넣어도 아프지 않을 자녀들을 잃고, 자신들도 복음으로 인해 감옥에 투옥되고 결국은 남은 가족들이 더 깊은 오지로 추방되는 상황에서도, 신앙의 절개를 지키며 한 영혼이라도 더 구원하고자 애쓰는 그루터기 신앙인의 모습을 바라보며 한국교회는 한 영혼을 향한 순교의 정신을 배워야 할 것이다. 교세를 위한 전도, 재정 확충을 위한 전도가 아닌 정말 한 영혼을 주님 앞에 세우기 위한 몸부림이 있어야 할 것이다.

도저히 신앙의 전수가 불가능할 것 같은 그곳(북한)에서도 복음의 씨앗은 뿌려지고 있음을 그루터기 신앙인의 증언을 통해서 우리는 접할 수가 있다. 북한이라는 땅은 그 어느 곳보다도 기독교 신앙을 지켜나가기 어려운 땅이지만 그럼에도 그루터기 가족들은 지금도 탈북을 마다하며 그곳에서 복음을 전하기에 힘쓰고 있다. 그런 반면 우리는 신앙의 선

배들이 목숨 바쳐 지켜낸 귀한 신앙의 유산을 우리는 너무도 당연하다 생각하고 '오늘이 아니면 내일 하지'라는 안일한 생각으로 자녀들에게 신앙의 전수보다는 학교 공부와 입시를 더 중요시해 버리며 세상과 똑같은 잣대를 가진 믿음 없는 신앙인으로 키워내고 있지는 않은가.

북한은 기독교 신앙의 유무를 떠나서 기독교와 관련되어 있다는 문건만으로도 처형을 하고 추방하여 핍박하는 곳이지만 그럼에도 추방당한 곳에서도 알게 모르게 신앙을 지키다 순교의 길로 들어서는 이들도 있음을 본다. 목숨을 빼앗길 수 있는 핍박 속에서도 그 신앙을 이어가려는 북한에 남아 있는 신앙인의 모습을 보며, 남한의 풍요로운 신앙의 모습 속에서 우리는 어떠한 모습으로 이 신앙을 지켜가고 있는지 돌아보게 된다.

예수를 믿는다는 이유로 감옥에 갇히고 모진 고초를 당하여 결국 순교의 자리까지 나아갔지만, 그럼에도 죽기 전까지 감옥에서 할 수만 있으면 예수를 전하였던 북녘의 신앙인 가족들. 복음을 전한다는 것은 '때를 얻든지 못 얻든지(딤후4:2)' 믿는 이들이라면 누구나 감당해야 할 예수님의 지상명령이다. 그럼에도 한국교회 안에서의 전도는 하나의 이벤트가 되었고, 영혼에 대한 긍휼한 마음보다 총동원주일에 이들을 교회에 한번 데려오는 것 정도가 하나의 문화처럼 자리 잡은 한국교회의 현실이 안타깝다.

하나님은 왜 그토록 오랫동안 북녘 성도들을 고난 속에 두시는지....

해방 당시 북쪽에 훨씬 많은 교회가 있었다. 그것은 북쪽에 훨씬 믿음이 좋은 사람들이 많았다는 것을 반증한다. 하지만 북한은 남한과 다른 정권하에서 신앙의 탄압을 받게 된다. 마치 초대교회 카타콤에서 신앙생활하던 성도들의 모습을 보는 듯하다. 왜 신앙 좋은 사람들이 많이 있는 곳에 더 큰 박해와 탄압이 있는 것일까? 안타깝게도 우리는 하나님의 뜻을 다 알지는 못한다. 예수님을 잘 믿는데도 왜 인생에서 고생을 경험해야 하는지 말로는 설명할 길이 없다. 머리로 이해할 수 없는 일이기 때문이다. 하지만 머리로 이해할 수 없다고 해서 하나님의 뜻이 선하지 않은 것은 아니다. 그리고 그 선하신 하나님의 뜻을 우리는 오늘 조금 헤아려 보고자 한다.

초기 그리스도인들이 카타콤에서 힘든 시간을 보냈듯이 75년이라는 긴 시간 동안 북녘의 성도들이 압제와 두려움 속에서 생존하고 있다는 것은 대단한 역사이고 믿음이다. 하나님께서 왜 그렇게 압제 가운데 오랫동안 내버려두시는지 우리는 알 수 없다. 그렇지만 그런 상황 속에서 우리가 할 수 있는 일은 그루터기 신앙인들의 마음을 같이 하고 과거에 어떻게 지냈는지 돌아보고 그 후손들이 어떻게 살고 있는지 살피는 것이 한국교회가 해야 할 책임이 아닐 수 없다.

한국기독교언론포럼(이사장 김지철 목사)의 '한국 기독교 선정 2015 10대 이슈 및 사회의식 조사'에 따르면 크리스천 학부모 224명 중 절반 가량인 46.4%가 "예배와 학원 시간이 겹칠 때 학원에 보내겠다"고 답했다고 한다. 더욱 놀라운 것은 '예배보다 학원을 우선한다'는 응답자 가운데 57.4%가 교회 안수 집사나 장로인 중직자로 가장 많았다는 것이다.[3] 이러한 조사의 내용을 볼 때 한국교회의 현 주소가 어떠한지를 어느 정도 가늠할 수 있으리라 생각된다. 지금이라도 한국교회는 북한의 그루터기 신앙인들을 본받아 이 땅의 다음 세대들에게 어떠한 신앙의 유산을 물려주어야 할 것인지 심각하게 고민해야 하리라 생각된다.

지금 한국교회는 변화가 필요한 시기이다. 한국교회는 너무 풍요로워졌고, 그 어떤 것에도 자극받지 못하고 있다. 혹시 북한성도들이 한국교회에 자극제가 되지는 않을지 기대감이 있다. 북한은 부흥했던 교회의 자취를 찾을 수 없고 사라져버린 상황 속에서도 신앙의 가족들이 이런

---

3) 「국민일보」, 2016.4.28. http://news.kmib.co.kr/article/view.asp?arcid=0923
514346&code=23111318&sid1=mcu.

어려운 현실 속에서 생존하고 있다는 것은 너무도 감사하고 그곳에서 교회가 유지되고 지속되고 있다는 것은 놀라운 일이다. 그루터기 신앙인의 믿음의 절개를 주의 깊게 살핌으로 한국교회가 다시 부흥하고 회복하는 데 자극과 촉매제가 되어 추락해 가는 한국교회를 살리고 복음에 기반을 둔 통일을 준비할 수 있는 좋은 발판이 되기를 바란다.

고난을 통과하는 신앙

범사에는 기한이 있고 천하만사가 다 때가 있다. 날 때가 있으면 죽을 때가 있고, 심을 때가 있으면 심은 것을 뽑을 때가 있다. 죽일 때가 있고 치료할 때가 있으며, 헐 때가 있고 세울 때가 있다. 울 때가 있고 웃을 때가 있으며, 슬퍼할 때가 있고 춤출 때가 있다. 돌을 던져버릴 때가 있고 돌을 거둘 때가 있으며, 안을 때가 있고 안는 일을 멀리 할 때가 있다. 찾을 때가 있고 잃을 때가 있으며, 지킬 때가 있고 버릴 때가 있다. 찢을 때가 있으면 꿰맬 때가 있고, 잠잠할 때가 있으면 말할 때가 있다. 사랑할 때가 있으면 미워할 때가 있고, 전쟁할 때가 있으면 평화할 때가 있다. 이 모든 때를 하나님께서 지으셨고 때를 따라 아름답게 하셨다. 그리고 사람에게는 영원을 사모하는 마음을 주셨다(전도서 3장 1−11절).

이것이 전도서가 우리에게 주는 교훈이다. 그 결론은 영원을 사모하는 마음을 우리에게 주셨다는 것이다. 우리는 이 땅에 사는 것을 전부로 여기며 사는 존재가 아니다. 우리의 영혼은 영원히 존재한다. 그렇기 때문에 우리의 가장 큰 관심사는 내 영혼이 영원히 어디에서 살 것인가가 되어야 한다. 온실 속 화초는 잘 자라는 것 같아 보이지만 힘이 없다. 그러나 모진 풍파와 비바람을 견뎌낸 잡초는 밟아도 뿌리를 뻗는다. 머리로 이해되지 않는 절망적인 때도 하나님께서는 때를 따라 아름답다고 하셨다. 그것은 어쩌면 우리의 영혼이 나약하지 않고 밟아도 뿌리 뻗는 강인함을 가지게 하기 위함이 아닐까? 온실 속에서 가지게 된 우리의 신앙과 모진 역경을 지나며 가지게 된 그루터기 가족의 신앙, 어느 것이 하나님께서 진정 원하시는 믿음일지 생각해 보라. 어떤 믿음인지에 따라 우리의 영혼이 어디에서 영원히 거하게 될지를 결정하게 될 것이다.

북한정권이 하나님을 믿는다는 이유로 한 가족을 어떻게 해체하고 하나님이 주신 소중한 가정을 파괴하는지를 Y 자매의 이야기를 통해서 들을 수 있었다. '죽음'이라는 의미도 알기 전에 부모를 여의어야 하고 이유도 모른 채 살다가 남한에 와서 부모님이 죽은 이유에 대해서 알게 되었을 때 Y 자매의 마음은 어떠했을까. 한순간에 그 고통과 아픔이 몰려왔을 것이다. 그리고 Y 자매와 같은 아픔을 가진 이들이 북한에는 아직도 많을 것이다. 그런 이들의 아픔을 한국교회가 어떻게 끌어안아야 할지 고민해야 할 것이다.

Y 자매의 친가와 외가는 모두 기독교 집안이며 아버지와 어머니 역시 신실한 믿음의 자녀였다. 아버지와 어머니가 북한당국에 의해 모진 고문을 받고 교수형을 당해 형장에 이슬로 사라지게 된 것은 "기독교인"이라는 이유 하나였다. 기독교인이라는 이유 하나만으로 죽음에 자리에 놓이게 되고, 살던 곳에서 추방을 당하는 아픔을 겪어야 하는 것이 북한지역에 남아 있던 기독교인들의 형편이었다. 그럼에도 신앙을 잃지 않기 위해 자신이 할 수 있는 방법으로 신앙의 끈을 놓지 않는 것이 또한 북한의 기독교인의 모습이다. 이러한 모습을 보면서 우리는 한국교회 안의 기독교인의 모습은 어디로 흘러가고 있는지 생각해 봐야 할 것이다. 순전한 복음을 위한 삶이 아니라 자신의 이익을 위한 신앙으로 변질되어 있지는 않은지 돌아봐야 할 것이다.

북한성도들을 통해 도전받는 한국교회

남한에 먼저 내려온 북한의 그루터기 신앙인들의 증언을 통해 한국교회는 그들의 시련과 아픔을 거울삼아 우리들의 모습을 돌아봐야 할 것이다. 전 세계 역사상 유례없는 부흥을 이루었지만 지금의 한국교회는 쇠퇴의 길을 걷고 있음을 우리는 너무도 잘 알고 있다. 불모지의 땅 북한에서도 신앙의 끈을 놓지 않고 견디어 온 이들, 그리고 아직도 그곳에서 숨죽여 신앙을 지켜가는 믿음의 자녀들을 바라보며 "지금 이곳이 내가 죽어야 할 곳이 되게 하소서"라는 순교적 사명을 회복하는 한국교회가 되기를 바란다.

'주기도문' 하나만으로도 기뻐하고 감사하며 남몰래 가슴 졸이며 머리와 가슴속에 새기는 모습을 보며 신앙인의 '감사'가 무엇인지를 다시 한번 생각해 보게 된다. 그 어느 시대보다도 교회 안의 풍요로움을 누리고 있는 한국교회는 어떠한 감사의 모습으로 하나님 앞에 서 있는지 돌아봐야 할 것이다. 믿음을 위해 모진 고문과 고통을 견디어 낸 K 형제 모습을 통해 은혜받은 사람의 모습이 어떠한지를 우리는 엿볼 수 있다. 단지 엄청난 복과 기도 응답을 받았을 때만 이 신앙이 귀하고 소중히 간직해 나가야 하는 것이 아니라, 자신을 구원하신 하나님의 은혜 하나만으로도 기꺼이 자신의 목숨을 내어 놓을 수 있어야 한다. 다니엘의 고백과 같이 '그리 아니하실지라도(단3:18)'의 믿음이 한국교회 안에 고백되기를 바란다.

믿음의 길로 행할 수 없는 상황 속에서도, 한 번의 기도와 한 번의 찬송으로 인하여 자신의 목숨을 내어주는 상황 속에서도, 기독교인이라는 낙인이 찍혀 산골 오지로 추방되고 가족은 보위부에 끌려가 고문당하고 처형당했을지라도 그 신앙을 잃지 않고 간직하고 있는 북한의 그루터기 신앙인을 우리는 기억해야 한다. 그들이 간직한 신앙이 바로 우리의 소중한 믿음의 유산임을 잊지 않으며 이 땅에서 삶이 전부인 듯 행하는 것이 아니라 하나님 나라를 바라보는 한국교회가 되기를 소원한다.

미가 선지자의 고백(미가서 6장 5절 이하 말씀)과 같이 눈에 보이는 웅장함과 풍성함을 하나님께서 요구하시는 것이 아니라 그 안에 진실함과 하나님을 향한 간절함일 것인데, 지금 이 땅의 많은 교회가 겉으로 보이는 외모에 치중하고 있으며 영혼을 돌보지 못하고 교회 안에 분열과 싸움에 물들어 있는 현실을 바라보며 우리는 북녘 땅의 그루터기 교인으로부터 하나님을 향한 신앙의 간절함이 무엇인지 배워야 할 것이다.

부끄럽게도 북한의 성도들을 통해 도전을 받는다. 특별한 박해나 억압이 없음에도 불구하고 믿음으로 행하지 못하는 우리들의 모습을 돌아보며 세상 속에서 그리스도인으로 사는 것이 치열한 싸움이고 고독한 싸움이지만 북녘의 그루터기들을 생각하며 믿음으로 살아가리라 다짐해 본다. 세상이 흔들리고 사람들은 주를 떠나도 우리는 주를 섬기겠다고, 믿음을 가지고 있는 신앙인들도 흔들리고 변하기 일쑤인 교회 안에서도 믿음을 붙들고 살겠다고 삶으로 선포하는 조국교회가 되기를 소망해 본다.

3. 다음 세대 신앙계승의 문제

신앙의 다음 세대 전승은 아름답고 놀라운 일이다. 신앙의 세대전승을 위해서는 개인적인 신앙교육이, 가정적인 신앙교육이, 교회적인 신앙교육이, 사회적인 분위기와 함께 실제적인 신앙교육으로 이어져야 한다. 한국사회에서는 물질의 풍요와 편안함, 배고픔의 시절이 지나고 생활이 윤택해졌다고 말하지만 물질적 풍요 속에서 정신적 빈곤과 공허를 느낀다. 정신적 빈곤과 공허는 신앙의 다음 세대로의 전승을 어렵게 만드는 요인 중의 하나이다. 자유롭고 정제된 신앙교육이 이루어져도 다음 세대 신앙의 전승은 결코 쉽지 않다.

북한에서 질병과 가난으로 어려움을 겪고 있는 사람들은 한국사회가 시대적 어려움과 고난을 겪었던 1960년대와 유사하다. 수많은 사람의 배고픔과 열악한 환경이 특히 그러하다. JSA구역을 탈출해서 한국으로 탈북한 오 병사의 몸에서 기생충이 나왔다는 보도는 어려웠던 한국사회가 겪었던 상황과 다를 것이 없다. 한국사회도 어려웠던 그 시절 회충

약을 복용하고 회충이 몇 마리나 나왔나 관심가지고 관찰하던 때가 있었다.

한국교회는 힘들고 어둡던 시절 하나님의 역사하심을 기대하며 기도하던 때가 있었다. 어렵고 힘든 상황을 뚫고 나가기 위한 몸부림이었다. 자녀들이 믿음으로 바로서기를 위해, 나라를 위해, 조국의 통일을 위해, 교회의 부흥을 위해 새벽을 깨우며 간절히 기도했던 수많은 기도의 헌신이 있었다. 또 자신의 모든 삶을 바쳐 하나님 나라와 교회를 세워 가던 목회자가 있었다. 그러한 신앙의 모습을 보고 자라난 세대가 한국교회에 아직은 살아있다. 미국의 유명한 암전문의인 원종수 박사의 어머니처럼 홀로 가정을 꾸리며 새벽기도와 헌신을 다한 신앙인들이 있었고 자녀들에게 훌륭한 신앙의 세대전수가 가능하였다.[4]

신앙을 자녀들에게 전해 주는 이유는 무엇일까? 자녀들을 신앙으로 교육하면서 기대하는 것은 무엇일까? 신앙생활을 열심히 한 자녀들은 좋은 대학에 진학하기 때문에 혹은 좋은 배우자를 만날 수 있어서 혹은 좋은 직장에 들어갈 수 있기 때문에.... 물론 틀린 말은 아니다. 하지만 정답도 아니다. 믿음은 삶의 축복을 위한 것이 아니기 때문이다. 믿음은 구원을 위한 것이다. 믿음으로 말미암아 구원을 얻는다. 이것이 신앙을 가져야 하는 이유 전부이다.

북한사회에서 보면 아버지가 전쟁 전사자로서 좋은 대우를 받을 수 있음에도 어머니 쪽이 신앙인 가족이라는 것이 발각되어 가족들과 친지들이 해를 입지는 않을까 걱정하며 친지들과도 연락을 끊고 살며 자신이 가지고 있는 신앙조차 자녀들에게 숨기고 아버지에 관한 이야기까지도 자녀들에게 말해 줄 수 없는 모습이 가슴이 아플 뿐이다. 이러한 현실이 북한의 그루터기 신앙인들의 일반적인 모습이라고 할 수 있을 것이다. 그래도 살아가야 하기에 자녀에게까지 신앙의 모습을 숨기며 감췄지만

---

4) http://blog.daum.net/samsk/12588519.

그럼에도 삶의 순간 속에서 늘 자녀를 위해 기도하는 어머니의 모습을 보며 생명과도 같은 복음을 알려 주지 못하는 그 마음은 어떠했을까.

북한의 그리스도인들은 왜 그렇게 목숨을 걸고 신앙을 자녀들에게 전하려고 했을까? 믿음을 가지면 어려운 상황 속에서 좋은 대학을 진학할 수 있을지 모르기 때문에? 아니면 좋은 직장을 가질 수 있어서? 아니다. 그들은 결코 그런 것을 기대하지 않았다. 신앙교육의 열매는 이 땅에서의 축복이 아니기 때문이다. 기적같이 복을 받을 수 있기 때문에 신앙을 가르치는 것이 아니다. 진짜 기적은 죄인인 우리가 천국의 시민이 되는 것이다. 그루터기 가족들처럼 할아버지와 아버지가 그 어려운 상황 속에서도 그렇게 신앙을 가르칠 수밖에 없었던 이유는 자녀들이 천국시민이 되기를 바랐기 때문이다. 그리고 그 가르침은 결국 자녀들이 믿음의 걸음을 걷게 만들었다.

남한의 그리스도인들은 어떤가? 신앙을 자판기처럼 여기고 있는 것은 아닌가? 주일예배를 넣으면 무엇을 받고, 새벽기도를 넣으면 무엇을 받고, 십일조를 넣으면 무엇을 받겠거니 하면서 신앙을 자녀에게 전하고 있다면 부끄러운 일이다. 우리는 남한 땅에서 신앙생활하며 언제든지 자녀의 손을 잡고 교회를 가고, 신앙을 전수하고 기도할 수 있음에도 그러지 못하고 시험기간이면 교회보다는 학원을 보내고 신앙보다는 성적에 더 목매어 있는 우리 내 모습을 돌아보며 진정한 신앙인의 길이 무엇인지를 우리 자녀들에게 몸소 보여 줘야 할 때라 생각한다.

하나님께서는 오늘도 한 영혼이 주님께 돌아오는 것을 간절히 원하고 계신다. 우리가 이 땅에서 잘되는 것보다 훨씬 더 원하고 계신다. 그 하나님의 마음과 동일한 마음으로 간절하게 자녀들에게 신앙을 가르치기를 바란다. 그래서 통일한국교회의 미래가 단절이 아니라 성장과 성숙, 부흥으로 이어지기를 소망한다.

4. 그루터기를 보살피라 - 북한선교의 우선 목표

이 프로젝트는 해방 이후 북한교회의 성도들이 2대, 3대로 내려오면서 신앙의 전수가 어떻게 이루어졌는지 그리고 그들의 삶은 어떠했는지를 기독교 계보의 가족들로부터의 증언을 듣고 북한의 교회사를 되짚어보려는 목적으로 진행하였다.

에스겔 34장 4절은 말한다. "연약한 자를 강하게 아니하며 병든 자를 고치지 아니하며 상한 자를 싸매 주지 아니하며 쫓기는 자를 돌아오게 하지 아니하며 잃어버린 자를 찾지 아니하고 다만 포악으로 그것들을 다스렸도다." 북한 그루터기 신자들은 포악으로 다스림을 받고 지금까지 견디어 왔다. 이제 포악의 사슬을 풀고, 병든 자, 상한 자, 쫓기는 자, 잃어버린 자 그들을 찾아 나서야 한다. 그리고 병든 자를 치료해 주고 상한 자를 고쳐 주고 잃어버린 자를 찾아 주어야 하는 사명감을 한국교회는 감당해야 한다.

어떤 사람들은 그 어려운 상황 속에서도 여전히 모여서 예배를 드리는 모습을 보았고, 여전히 기도하며 찬양하는 모습을 보았고, 여전히 삶에서 말씀을 따라 살려는 모습을 보았고, 여전히 복음 전하는 일에 열심인 모습을 보았다. 주관적인 주장을 토대로 객관적인 역사를 기술하는 것이 쉬운 일이 아니지만 그 모든 상황들을 고려해서 그때의 상황을 헤아려 보고자 북한 기독교인 가족들을 만났다. 그리고 그 어떤 증언이든 들을 때마다 우리는 아픔과 고통과 안타까움을 함께 느끼게 되었다. 그리고 우리의 신앙도 돌아보게 되었다. 우리는 무엇을 바라보고 있는지, 그리고 무엇을 이야기하고 있는지…. 바라봐야 할 것을 바르게 바라보고, 이야기해야 할 것을 바르게 이야기할 수 있는 신앙이 되기를 바란다. 성경과 세상 중에 무엇을 바라보고 있는지, 성경과 세상 중에 무엇을 이야기하며 살아가는지… 돌아보라. 내가 바라보는 대로 내가 형성되고 내가 이야기하는 대로 나는 살아가게 된다.

한국교회는 자유가 없는 북한 땅에서 생명을 아끼지 않고 신앙을 지킨 사람들의 아픔과 슬픔을 기억해야 한다. 하나님께서는 열심히 하나님을 믿고 섬기며 하나님의 뜻을 따라 살려고 애쓰던 북한의 성도들을 왜 생명을 연장해서 하나님의 일을 감당하게 하시지 않고 왜 순교자의 길을 가게 하셨는가? 남은 가족들을 왜 그 처참한 고통의 길에 내버려두셨을까? 하나님의 뜻은 어디에 있을까?

살아야 하기 때문에 치열하게 복음을 숨겨야 했던 북한의 크리스천들, 공식적으로 인정받고 선택받은 사람들이었다고는 하지만 단지 집 안에서만 인정되었기에 밖에서는 마치 크리스천이 아닌 척하며 살아가야 했던 북한의 크리스천들, 그렇게 힘겹게 하지만 절절하게 흘러가는 복음의 물줄기는 오늘 그들의 삶을 깊은 신앙의 길로 인도하였다. 그리고 오늘 복음으로 살아가야 할 영적 전쟁터인 세상에서 치열함과 절절함을 잊어버린 남한의 크리스천들에게 그 길을 보여 주는 듯하다.

엄청난 두려움과 압박 속에서 추방과 처형의 감옥 속에서 신앙의 끈을 놓지 않고 지켜온 뜨거운 열정의 믿음이 바로 우리 곁에 와 있다. 안일하게, 감각 없이, 기쁨 없이, 감사 없이, 형식적인 한국교회와 성도들은 주님 다시 오실 때까지 감격의 예배를 회복해야 한다. 한국교회는 회개와 함께 뜨거운 열정을 회복하고 그루터기 신자들의 신앙을 본받아 '죽으면 죽으리라'의 신앙을 갖고 한 발 한 발 걸어가야 한다.

우리는 신앙생활을 하면서 하나님으로부터 또한 주위 사람으로부터 위로받기를 원한다. 그리고 우리가 생각하는 위로는 늘 이 땅에서 잘되고 복을 받고, 부귀와 영화와 건강을 누리는 것에 초점이 맞춰져 있는 것을 볼 수 있다. 그래서 설교말씀에 복을 받는 것을 강조하게 되며 어려운 환경과 상황 속에 있는 이들을 위하여 위로하고 기도할 때 비록 지금은 힘들지만 언젠가는 전화위복이 되어 풍요로운 삶을 누릴 것으로 위로하게 된다.

그러나 참된 위로는 자녀들을 위로하였던 그루터기 부모들의 위로가 아닌가 생각해 본다. 이 땅의 소망을 두는 것이 아니기에 이 땅에서의 잘됨을 기대하기보다는 천국에 소망을 두고 하나님께서 우리를 자녀삼아 주셨다는 것 하나만으로 위로가 되고 소망이 되는 하나님 나라에 대한 소망으로부터 나오는 위로가 우리 안에 있어야 할 것이다. 그렇다고 하여 이 땅에서 못 살아야 하고 늘 힘든 삶을 살아야 한다는 것이 아니다. 다만 우리의 근본적인 위로는 이 땅의 그 무엇으로 채워지는 것이 아니라 오직 하나님 나라 백성됨에 있음을 기억해야 한다는 것이다.

우리는 늘 복음의 빚진 자로서 살아간다. 우리의 관심은 이 세상이 아니다. 우리의 관심은 하나님 나라이어야 하며 그 백성이어야 한다. 아직도 북한 땅에는 신앙의 끈을 놓지 않고 숨죽이며 오늘을 살아가는 그루터기 신앙인들이 존재한다. 아직은 주님을 모르나 하나님께서 택하신 잠재적 신앙인이 있음을 믿는다. 이러한 북한의 신앙인들에 대해 한국교회는 그들이 북한 땅에서 그루터기 신앙인으로 살아갈 수 있고 신앙의 열매를 거둘 수 있는 방법이 무엇인지를 끊임없이 고민하고 연구해야 할 것이다. 그리고 이러한 고민들과 행함이 결국은 복음적 통일을 이룰 수 있을 것이라 믿는다. 그루터기 신앙인들의 고백과 그들의 삶이 우리의 눈을 적시고 마음을 적시는 것에서 끝나지 않고 삶으로서 드러나 열매 맺어지는 한국교회가 되기를 바란다.

5. 그루터기 가족의 치유와 회복을 위하여

북한의 그루터기 신자들의 상처 회복과 치유는 어떻게 이루어질 수 있을까? 하나님을 믿는다는 단 한 가지 이유만으로 가족이 처형되는 아픔을 겪은 사람들이다. 어릴 적에는 부모가 왜 그처럼 처참하게 죽어야 했는지 모르고 고아 아닌 고아로 조부모의 손에 성장한 가족들이 많다. 부모의 죽음에 대해 어릴 적에는 전혀 모르다가 훗날 뒤늦게 알게 되면서 더욱 큰 충격을 받는다. 남은 가족들은 추방되어 온갖 수모와 좌절 속에 살아왔다. 부모의 처형으로 신앙의 세대전승은 이루어지지 못했으나 자녀가 탈북하여 신앙생활을 하는 가족들도 있다.

그런 점에서 그루터기 가족들의 아픔과 고통은 너무나 크다. 하나님을 사랑하여 믿음을 지키기 위해 헌신적으로 신앙생활을 하였는데, 하나님은 왜 도움을 주지 않고 침묵하셨는가를 질문하며 고통스러워한다. 이런 면에서 그루터기 가족의 상처와 아픔을 달래는 진정한 치유와 회복이 필요하다. 그루터기 신자들을 위로하며 회복과 치유의 시간으로 채우는 것이 필요하다.

우리는 무엇을 보는가. 엄혹한 공산치하에서 혹독한 시련을 겪으며 완전히 짓눌리고 소멸된 30만 그리스도인들의 고된 여정을 떠올려본다. 분단 75년, 3대를 거치며 짓밟히고 흔적도 없이 사라진 그 아픔은 어떠했을까. 해방이 되고 75년이 지나도록 가지고 있는 신앙을 드러내지 못하고 혼자만의 신앙으로 간직하고 있는 이들도 있고, 또 어떤 이들은 조심조심 구원의 복음을 가족들과 친지들과 주변 사람들에게 전하는 이들도 있다. 그러나 기라성 같은 목사, 장로, 권사, 집사들이 자녀들에게 신앙을 남겨 줄 수 없을 정도로 환경이 혹독했다. 아무리 어려운 상황이 닥쳐온다 해도 누구인들 신앙을 버리리라고 생각이나 했겠는가. 신앙의 가족이 그처럼 산산조각이 날 것이라고 생각했겠는가.

그루터기 가족이 겪어온 그 아픔과 눈물은 감히 짐작하지 못한다. 한국교회는 물질주의 껍데기를 벗고 진정한 교회와 신앙이 무엇인지 성찰해 보아야 한다. 북한에 남은 그루터기는 바로 한국교회를 깨우는 존재로 우리에게 남겨졌다. 교회를 다니며 설교 한 번 듣는 것으로 오랜 신앙생활을 하다 보니 신앙생활의 참 의미를 잃어버렸다. 화려한 교회건물에 심취해서는 안 된다. 예수가 베드로의 신앙고백 위에 내 교회를 세우겠다고 하신 말씀을 기억하며 예수 그리스도를 믿는다는 것이 무엇인지,

교회가 진짜 공동체가 되기 위해 무엇을 해야 할지 다시 한 번 되새겨야 한다. 이제 이곳에 남은 자들이 해야 할 일은 북녘의 그루터기에 물을 주고 싹이 돋도록 돌아보는 일이다.

어떠한 형태로 그 신앙을 이어가든 북한 땅은 여전히 신앙의 불모지이며 다시 복음이 뿌리내려야 할 땅이다. 우리는 우리가 상상하지도 못할 신앙의 억압 가운데 있는 북한의 영혼을 마음에 품고 북한 땅이 복음의 풍요로움에 다시 거하도록 기도해야 할 것이다. 자녀에게도 복음을 전할 수 없어서 홀로 답답했을 그때, 남한교회는 부흥을 구가하였고 십자가를 세우는 곳곳마다 사람들이 구름 떼처럼 몰려왔다. 이렇게 축복받은 남한교회가 힘들게 버텨가는 북한의 그루터기 신자들을 찾는 것은 어쩌면 당연한 일이 아닌가. 아니 이제야 돌아보는 것은 부끄러운 일이다. 지금이라도 기억하고 격려해 주고 위로할 수 있어 다행이다.

통일 이후 남북한교회는 화합하며 하나님 나라건설을 위해 힘써야 한다. 분단 후 멀어진 남북한교회의 모습은 화합의 걸림돌이 될 것이다. 한국교회는 세속화되어 버린 맘모니즘에서 탈피하여 하나님 나라의 건설을 위해 그리스도의 몸인 교회의 모습을 회복해야 한다. 교회가 지탄의 대상이 아니라 존경과 사랑의 모습으로 나타나야 한다. 기독교인들이 하는 통일 운동과 북한을 향한 여러 도움과 지원은 사회나 정부에서 하는 경제, 정치, 외교적인 접근이 아니라 철저히 복음에 근거하여 하나님의 영광이 그 땅 가운데서 드러나도록 하는 것이라 확신한다.

복음을 전한다는 것은 '때를 얻든지 못 얻든지(딤후4:2)' 우리가 감당해야 할 예수님의 지상명령이다. 한국교회 안에서의 전도는 하나의 이벤트가 되었고, 영혼을 사랑하는 긍휼의 마음이 많이 약해졌다. 북한의 크리스천들은 억압된 사회 속에서 감옥에 갇혀 있으면서도 한 영혼을 사랑하는 복음 전파의 열정이 타오르고 있다. 한 영혼이라도 살리기 위한 처절한 몸부림은 한 영혼을 긍휼히 여기시는 하나님의 마음과 동일할 것이다.

북한교회는 모진 박해를 뚫고 꿋꿋이 신앙을 유지해 왔다. 전도를 하다 붙잡혀 처형당하는 모습을 상상해 보라. 손양원 목사, 주기철 목사와 같은 순교자는 순교의 피를 흘리며 가셨다. 한국교회 제2의 손양원 목사, 주기철 목사는 없을까? 수고와 헌신의 삶으로 하나님 나라의 건설과 회복을 꿈꾸는 목회자가 요청된다. 한국교회는 깨어나야 한다. 예수님이 걸어가신 헌신과 수고의 땀방울이 필요하다. 진정한 하나님 말씀의 대언자가 요청되는 시대이다.

과거 찬란한 신앙을 유지했던 신앙의 가족들이 어떤 운명을 맞았는지, 믿음 안에서 형제와 자매된 자로서, 관심을 갖고 돌아보아야 할 중차대한 책무가 우리 신앙인들과 한국교회에 주어져 있다. 30만의 성도들이 무참하게 처형되고 투옥되고 추방되는 형언할 수 없는 아픔과 고난을 겪는 동안, 한국교회는 눈부시게 성장하고 부흥을 구가하였다. 그러나 가장 가까이에서 교회가 산산이 부서지는 동안 그들의 처절한 고통의 소리를 듣지 못하고, 75년이 되도록 믿음의 형제자매들을 돌아볼 생각조차 하지 못했다는 것이 너무나 미안하고 죄스럽다.

혹독한 순교와 고통의 대가를 지불하며 세대를 넘어 생명력을 유지하고 있는 북녘의 성도들에게 뜨거운 격려와 한없는 고마움을 전한다. 에스겔 골짜기 마른 뼈처럼 앙상한 몰골의 해골모습을 하고 있는 북한성도들을 아픈 마음으로 바라보며 치유와 회복의 역사를 다시 꿈꾼다.

참고문헌

강인철. 1992. "월남 개신교, 천주교의 뿌리: 해방 후 북한에서의 혁명과 기독교."『역사비평』제17호.

고태우. 1988.『북한의 종교정책』. 서울: 민족문화사.

_____. 1992.『북한의 종교』. 서울: 통일연수원.

과학백과사전종합출판사. 1981.『조선말대사전』. 평양: 과학백과사전종합출판사.

과학백과사전종합출판사. 1998.『위대한 수령 김일성 동지의 《세기와 더불어》학습사전 1』. 평양: 과학백과사전종합출판사.

김병로. 2000.『북한사회의 종교성: 주체사상과 기독교의 종교양식 비교』. 서울: 통일연구원.

_____. 2000. "한국전쟁의 인적 손실과 북한 계급정책의 변화."「통일정책연구」제9권 1호.

_____. 2002.『북한 종교정책의 변화와 종교실태』. 서울: 통일연구원.

_____. 2006.『남북한 교회 통일콘서트』. 서울: 기북선.

_____. 2011. "북한 종교인 가족의 존재양식에 관한 고찰: 기독교를 중심으로."「통일정책연구」제20권 1호.

_____. 2016.『북한, 조선으로 다시 읽다: 북녘에 실재하는 감춰진 사회의 심층분석』. 서울: 서울대학교출판문화원.

김양선. 1956.『한국기독교해방 10년사』. 서울: 예수교장로회 종교교육부.

김영한. 1990.『평화통일과 한국기독교』. 서울: 도서출판 풍만.

김일성. 1967.『김일성저작선집 1』. 평양: 조선로동당출판사.

_____. 1980. "모든 것을 전후 인민경제 복구발전을 위하여." (조선로동당 중앙위원회 제6차 전원회의에서 한 보고, 1953.8.5.).『김일성저작집 8』. 평양: 조선로동당출판사.

_____. 1980. "통일전선사업을 개선강화할데 대하여."『김일성저작집 8』. 평양: 조선로동당출판사.

김중석. 1998.『북한교회 재건론』. 서울: 도서출판 진리와 자유.

_____. 1993. 『교회는 통일을 대비하라』. 서울: 반석문화사.

김태우. 2013. 『폭격: 미공군의 공중폭격 기록으로 읽는 한국전쟁』. 서울: 창비.

김흥수. 1999. 『한국전쟁과 기복신앙 확산연구』. 서울: 한국기독교역사연구소.

김흥수 엮음. 1992. 『해방후 북한교회사: 연구·증언·자료』. 서울: 다산글방.

김흥수·류대영. 2002. 『북한종교의 새로운 이해』. 서울: 다산글방.

류성민. 1992. 『북한종교연구 Ⅰ, Ⅱ』. 서울: 현대사회연구소.

_____. 1994. 『북한주민의 종교생활』. 서울: 공보처.

박승덕. 1993. "기독교에 대하는 주체사상의 새로운 관점." 북미주 기독학자회 편. 「기
      독교와 주체사상」. 서울: 신앙과 지성사.

박완. 1971. 『한국기독교 100년』 제1-6권. 서울: 선문출판사.

박완신. 2001. 『북한종교와 선교통일론』. 서울: 지구문화사.

_____. 『평양에서 본 북한사회』. 서울: 도서출판답게.

박일석. 1980. 『종교와 사회』. 서울: 삼학사.

방금희. 2005. "북한 지하교인, 남 몰래 신앙심 키우고 있다." 「Jistice」(10월호).

백중현. 1998. 『북한에도 교회가 있나요?』. 서울: 국민일보.

법성. 1990. "북한의 종교." 『북한의 인식4: 북한의 사회』. 서울: 을유문화사.

북미주기독학자회. 1993. 『기독교와 주체사상』. 서울: 신앙과 지성사.

북한교회사 집필위원회. 1996. 『북한교회사』. 서울: 한국기독교역사연구소.

사회과학출판사. 1992. 『조선말대사전 2』. 평양: 사회과학출판사.

송원근. 2013. 『북한의 종교지형 변화』. 서울: 청미디어.

신법타. 2000. 『북한불교연구』. 서울: 민족사.

신평길. 1995. "노동당의 반종교정책 전개과정." 「북한」(7월)

아세아연합신학대학교 북한연구원. 2016. 『북한의 종교』. 서울: 청미디어.

안부섭 엮음. 2000. 『남북의 하나됨을 위하여』. 서울: 진리와자유.

양병희. 2006. 『북한 교회의 어제와 오늘』. 서울: 국민일보.

양한모. 1990. 『민족통일과 한국천주교회』. 서울: 일선기획.

양호민. 1991. "북한사회주의의 실상." 안정수 외. 『소련 동구 중국 북한: 그 변화의 실
      상』. 서울: 문우사.

윤동현. 1986. 『북한의 종교실태』. 서울: 국토통일원.

윤이흠. 1986. 『한국종교연구 1-3』. 서울: 집문당.

_____. 1998. "북한의 종교정책과 종교현상." 「통일논총」 제16호.

이만열. 2001. 『한국기독교와 민족통일운동』. 서울: 한국기독교역사연구소.

이원규. 1992. 『한국교회의 사회학적 이해』. 서울: 성서연구사.

이원규 편저. 1989. 『한국교회와 사회』. 서울: 나단출판사.

이항구. 1990. "북한의 종교탄압과 신앙생활."「현실초점」(여름).

정대일. 2012.『북한 국가종교의 이해』. 서울: 나눔사.

정태혁. 1981.『북한의 종교실태』. 서울: 국토통일원.

정하철. 1959.『우리는 왜 종교를 반대하는가?』. 평양: 조선로동당출판사.

조동진. 1998. "역사 전환기에 있어서의 북한의 종교정책 변화와 우리의 대응."『평화통일과 북한선교(I)』. 서울: 서부연회출판부.

_____. 2001. "역사 전환기의 전방위 선교로서의 대북활동." (한기총통일선교대학 강의안).

조선인권협회. 2014.『조선인권협회 보고서』. 평양: 조선인권협회.

조선로동당출판사. 1950.『조선중앙년감 1950』. 평양: 조선로동당출판사.

최영호. 1992. "김일성 생애 초기의 기독교적 배경."「한국기독교와 역사」제2호.

태영호. 2018.『3층 서기실의 암호』. 서울: 기파랑.

통일신학동지회 엮음. 1990.『통일과 민족교회의 신학』. 서울: 한울.

평화와통일신학연구소 편. 2002.『평화와 통일신학 1』. 서울: 한들출판사.

현대사회연구소 편. 1991.『북한종교연구 1』. 경기 성남: 현대사회연구소.

_____. 1992.『북한종교연구 2』. 경기 성남: 현대사회연구소.

허종호. 1976.『주체사상에 기초한 조국통일리론과 남조선혁명』. 평양: 사회과학출판사.

홍동근. 1980.『미완의 귀향일기』. 서울: 한울.

_____. 1994.『비엔나에서 프랑크푸르트까지』. 서울: 형성사.

황석영. 2001.『손님』. 서울: 창작과 비평사.

『국민일보』. 2002.3.5.

『국민일보』. 2016.4.28. http://news.kmib.co.kr/article/view.asp?arcid=0923514346&code=23111318&sid1=mcu.

민족통신. 2016. "봉수교회 송철민, 한명국 목사와의 대담(4.16.)." https://www.youtube.com/watch?v=mTVGCMebtNs(검색일: 2016.12.12.).

『한국장로신문』. 2015.05.23. "황해도 도지사를 역임한 이기백장로." http://jangro.kr/Jmissions/detail.htm?aid=1432186887(접속일: 2017.10.12.).

한국학중앙연구원. "한민족문화대백과." http://encykorea.aks.ac.kr/Contents/Index (접속일: 2017.10.12.).

"암박사 원종수 권사의 간증/생애." http://blog.daum.net/samsk/12588519.

찾아보기

평 화 나 눔 재 단 ⫶ 평화나눔재단
Peace and Sharing Foundation

평화나눔재단은 통일과 북한선교를 우리 민족과 조국 교회의 중요한 과제로 인식하고 성경적 평화에 기초한 섬김과 화해, 봉사와 나눔을 통해 남북통일과 민족복음화에 기여함을 목적으로 2006년 설립 이래 다음과 같은 사업을 추진하고 있습니다.

1. 평화봉사단
- 2016년 발대식 • 통일연탄봉사 • 사랑의 연탄 나누기
- 서울역 노숙인 밥퍼 봉사 • 탈북민 대안학교 봉사 • 요양원 어르신 섬김 봉사

2. 나눔사업
- 동남아(태국)센터 탈북민 속옷 후원 • 북한내지 방한화보내기
- 해외 탈북민 사역자 후원 • 소외 탈북민 지원

3. 북한이탈주민 정착지원 사업
- 인천 면세점 취업지원 • 북한이탈주민취업성공 패키지(커피바리스타자격증교육)
- 소외된 탈북민 찾아가는 서비스 상담 • 탈북민 재소자 상담사역

4. 학술연구사업
- 그루터기프로젝트: 북한 기독교인 행적 조사와 추적 연구
- 통일부 학술공모사업
  - 2019년: 통일부 학술세미나 공모사업 선정
    "북한이탈청소년을 위한 대안학교교육의 방향성 제고와 정책 제안"
    "북한이탈청소년의 꿈에 날개를 달다"
  - 2020년: 통일부 학술세미나 공모사업 선정
    "비무장지대 국제평화지대 활성화를 위한 남북교류 협력방안"
    "평화와 함께, 원코리아 대한민국 영원하라!"
- 『통일과나눔』 공모사업 선정(2019년)
    "제3국출생 북한이탈청소년 가족 힐링 프로그램"
- 남북한주민이 함께하는 통일아카데미(매년 실시)
    남북한주민이 함께 통일문제를 연구, 발제 및 토론
    주제특강: • 북핵 문제와 한국교회의 역할 • 북한 주체사상과 군사
        • 북한의 전략 노선 전환과 그 전망적 평가

5. 장학사업
- 아세아연합신학대학원 북한선교지도자 양성 장학사업 • 탈북민 신학생 장학사업

6. 정기워크숍
- 우리들교회   • 군산알음교회   • 산청축복교회   • 동해사회복지관

7. 기타 사업: 평화나눔재단 회원 홈 커밍데이

주소: 서울시 종로구 대학로길 29, 한국교회100주년 기념관 308호
홈피: www.peacesharing.modoo.at,   band.us/@peacesharing
후원: 국민은행 580937-01-005759 평화나눔
문의: 010-2368-5585 (윤현기 상임대표)

저자 소개

김병로

학력

성균관대학교 사회학 학사

미국 인디애나주립대학교 대학원 사회학 석사

미국 럿거스대학교 사회학 박사

현) 서울대학교 통일평화연구원 교수

민주평통 상임위원, 통일부 자문위원, 민화협 정책위원

평화나눔재단 설립대표, 공동대표

전) 통일연구원 선임연구위원 및 북한연구실장

아세아연합신학대학교 교수 및 북한연구소장

국방부, 국가정보원, KBS 자문위원

22대 북한연구학회 회장

연구분야: 정치사회학, 남북한비교, 북한사회, 평화학

주요저서: 『탈사회주의 체제전환과 북한의 미래』(2018), 『다시 통일을 꿈꾸다』(2017), 『북한, 조선으로 다시 읽다』(2016), 『공간평화의 기획과 한반도형 통일프로젝트 개성공단』(2015), 『한반도 분단과 평화부재의 삶』(2013), 『북한 김정은 후계체제』(2011), 『노스코리안 디아스포라』(2011), 『북한-중국간 사회경제적 연결망의 형성과 구조』(2008)

윤현기

학력

이화여자대학교 이학사

아세아연합신학대학교 선교대학원 북한선교학 석사(Th.M.)

아세아연합신학대학교 신학연구원 목회학석사, 선교학박사(M. Div. D.Miss)

현) 아세아연합신학대학교 선교대학원 북한선교, 북한연구원 교수

평화나눔재단 상임대표

기독교통일학회 부회장

선교통일한국협의회 실행위원

전) 자유시민대학 학장, 북한사역목회자협의회 부회장

연구분야: 북한사회, 북한문화, 북한의 종교, 북한이탈주민의 정착(취업, 창업)

주요저서: 『통일을 넘어 열방으로』(2020), 『성경적 통일의 길』(2019), 『북한의 종교』(2016), 『주여! 70년이 찼나이다』(2015), 『북한선교의 이해』(2015), 『Acts세계연구제2호』(2012), 『북한선교』(2004), 『한국복음주의 실천신학회』(2002, 2003), 최우수논문상, 『Acts 북한선교연구학회지』(2001, 2003)

주요논문: "북한이탈주민의 종교경험과 가치관변화", "북한주민의 주체사상인식실태", "탈북자들의 현상과 대책에 대해", "북한주민의 종교인식변화를 위한 선교

전략", "북한주민의 의식", "닫혀진 문화권의 선교", "자유이주민의 남한사
회 정착과 한국교회의 역할" 외 다수

이원영

학력
안양대학교 신학사
안양대학교 신학대학원 목회학 석사(M.Div.)
아세아연합신학대학교 선교대학원 북한선교학 석사(Th.M.)
현) 평화나눔재단 학술연구소 연구원
   19기 민주평화통일자문회의 자문위원, 통일교육강사
전) 한반도 평화연구원 인턴연구원

천지혁

학력
아세아연합신학대학교 신학사
총신대학교 신학대학원 목회학 석사(M.Div.)
아세아연합신학대학교 선교대학원 북한선교학 석사(Th.M.)
현) 평화나눔재단 학술연구소 연구원
   통일부 인천시 통일교육위원
   통일부 통일교육원 학교통일교육 전문강사

그루터기
북한종교인 가족의 삶과 신앙의 궤적을 찾아서

초판발행   2020년 5월 27일
중판발행   2022년 9월 10일

지은이   김병로 · 윤현기 · 이원영 · 천지혁
펴낸이   안종만 · 안상준

편 집   황정원
기획/마케팅   김한유
표지디자인   BEN STORY
제 작   고철민 · 조영환

펴낸곳   (주) **박영사**
             서울특별시 금천구 가산디지털2로 53, 210호(가산동, 한라시그마밸리)
             등록 1959. 3. 11. 제300-1959-1호(倫)
전 화   02)733-6771
f a x   02)736-4818
e-mail   pys@pybook.co.kr
homepage   www.pybook.co.kr
ISBN   979-11-303-0692-6   93340

정 가   13,000원